Marc Andry

ALPHONSE DAUDET,
la Bohème et l'Amour

Presses de la cité

ALPHONSE DAUDET,

LA BOHÈME
ET
L'AMOUR

Du même auteur :

Charles Trenet (Calmann-Lévy)

Bel-Ami, c'est moi ! (Presses de la Cité)
Prix des Ecrivains combattants 1983

Chère Colette (Presses de la Cité et Presses Pocket)
Ouvrage couronné par l'Académie française

Marc ANDRY

ALPHONSE DAUDET,

LA BOHÈME
ET
L'AMOUR

PRESSES DE LA CITE
PARIS

ISBN 2-226-01504-9

L'existence est une bousculade. Il me semble que j'ai rêvé ma vie.

Alphonse DAUDET

Marie

Belle, oh ! belle, les bras, la gorge, les épaules, d'un ambre fin, solide, sans tache, ni fêlure.

(*Sapho*)

Le duc de Morny, demi-frère de l'Empereur, est la figure la plus brillante du règne de Napoléon III. Il est président du Corps législatif et littérateur à ses moments perdus. Avec Persigny, il a été l'instigateur du coup d'Etat mais il ne dédaigne pas s'occuper de théâtre. Il a un goût très vif pour les jolies femmes, les actrices en particulier. Epoux de la princesse Sophie Troubetskoï qui a vingt-sept ans de moins que lui, il a été l'amant de la « lionne » Cora Pearl, une des reines de Paris.

En ce mois d'octobre 1860, il a engagé depuis quelques jours, comme nouvel attaché à son cabinet, un jeune homme beau comme un dieu grec qui lui a été recommandé par l'impératrice Eugénie elle-même. Il lui témoigne beaucoup de bienveillance mais il est un peu jaloux de ses magnifiques cheveux bruns. Morny est chauve depuis sa jeunesse. Chaque jour, lorsque ce secrétaire vient prendre son service, il lui dit :

— Monsieur Daudet, vos cheveux sont trop longs. Allez donc chez le coiffeur !

Ce matin-là, un grand silence plane sur l'immense cabinet de travail de M. de Morny, à l'hôtel de la Présidence, quai d'Orsay, lorsque Alphonse Daudet introduit deux visiteurs en redingote noire : Ludovic Halévy, au visage fin, un peu triste, et Offenbach, très souriant. Ils viennent parler d'une petite pièce bouffonne dont Offenbach écrirait la musique : *M. Choufleury restera chez lui.* C'est le duc lui-même qui en a trouvé l'argument mais il compte sur ses deux visiteurs pour étoffer cette piécette.

Tandis que des ministres, des préfets et des généraux font antichambre, M. de Morny se livre à son vice secret — l'opérette — et n'hésite pas à répéter au piano des couplets inédits sous le regard amusé de son nouveau collaborateur.

Alphonse Daudet laisse les trois hommes « travailler » et se retire. A vingt ans, il est un peu éberlué d'avoir eu tant de chance en devenant l'un des secrétaires de Morny. Depuis quelques semaines, il voit défiler dans l'ancien hôtel du duc de Bourbon tout ce que l'Empire compte de personnages prestigieux. C'est grâce à une lectrice de l'impératrice Eugénie qu'il a trouvé cette situation. Très éprise de lui, cette jeune femme a montré à la Cour les poèmes qu'il vient de publier sous le titre *Les Amoureuses.* L'Impératrice les a trouvés charmants et les a récités elle-même au cours d'une de ses soirées au château de Saint-Cloud. Apprenant que l'auteur était un jeune homme pauvre sur le pavé de Paris, elle l'a très gentiment recommandé au duc de Morny.

Alphonse entend maintenant les éclats de rire d'Offenbach, la voix douce de Ludovic Halévy. Comme il aime la musique alerte d'Offenbach ! Comme il souhaiterait réussir lui aussi au théâtre, faire représenter les pièces qu'il écrirait, connaître des actrices ! Pour l'instant, il n'est qu'un poète sans le sou, un don Juan en herbe, qui fréquente les lorettes dans les brasseries de Montmartre, au bal Bullier et à Mabille. Il n'est à Paris que depuis trois ans. Il songe souvent à son enfance passée à Nîmes, il revoit des images de son adolescence à Lyon où déjà il faisait de beaux rêves...

I

Quand le mistral souffle, les ciels de Provence prennent, de jour et de nuit, la froide pureté du cristal.

Vincent et Adeline Daudet habitent dans le vieux Nîmes la maison Sabran, une grande bâtisse de trois étages. Le premier est aménagé en magasin car Vincent exerce une profession au joli nom : c'est un soyeux. Adeline est une femme exténuée. En dix ans, elle a eu quinze enfants dont plusieurs jumeaux et treize sont morts en bas âge. Alphonse, le seizième, est né là, à l'ombre des Arènes et de la Maison Carrée.

Outre cette installation commerciale en pleine ville, les Daudet possèdent une fabrique située à une demi-lieue sur le chemin d'Avignon. Catholique d'opinion ultra-royaliste, Vincent n'aime guère Louis-Philippe. L'anniversaire des Trois Glorieuses est toujours à Nîmes le prétexte d'échauffourées. Jets de pierres, pugilats, vitres brisées. L'un des premiers souvenirs du jeune Alphonse Daudet, c'est l'image de son frère Ernest qui le protège contre la fureur des émeutiers. Ernest a trois ans de plus que lui. Il a un autre frère, Henri, plus âgé, qui s'occupe moins de lui.

A cette époque, Alphonse est un beau petit garçon de quatre ans, avec de larges yeux bruns, des cheveux châtains, un teint mat et des traits d'une exquise délicatesse.

Il est déjà myope. « Il a toujours l'air de regarder en dedans de lui », dit son frère.

Les Daudet possèdent aussi un petit mas à Vallongue, dans les garrigues, ces plaines couvertes de vignes, d'oliviers et d'arbres fruitiers. Le dimanche, toute la famille s'y rend dans une antique calèche qui roule sur une route poussiéreuse. Quelles agréables parties de campagne ! On fait de copieux repas avec du gigot à l'ail arrosé de vin du pays et l'on se grise de jolis paysages. Mais Vincent Daudet est un homme violent dont les colères sont légendaires dans le pays.

Chaque année, il se rend à la foire de Beaucaire, célèbre dans toute la Méditerranée et qui réunit, vers la mi-juillet, des négociants espagnols, italiens et arabes. Quand il en revient, il étourdit ses enfants par les récits de ce rendez-vous fameux où affluent tous les soyeux de la vallée du Rhône. Alphonse répète ce nom qui lui paraît magique : Beaucaire.

Des années passent pour lui dans cette ambiance familiale un peu perturbée par le mauvais caractère de son père. Un jour, il entre à l'Ecole des Frères où le régime est rude. Il a du mal à s'y habituer. C'est un enfant très sensible. A cette époque, commence aussi la faillite de la maison Daudet qui le marquera au fer rouge. Son père doit fermer ses ateliers et licencier son personnel en attendant une liquidation. C'est le drame, un drame brutal, inattendu, qui tombe comme la foudre sur cette paisible demeure où une petite fille vient de naître : Anna. Vincent devient de plus en plus violent et aigri par les difficultés matérielles.

Cette même année, l'abdication de Louis-Philippe provoque à Nîmes de terribles bagarres. Ruinés, les Daudet parlent de partir vivre à Lyon. Le jeune Alphonse ne peut pas croire qu'il va quitter tout ce qu'il aime : la fabrique, le jardin, les pelouses, la vieille maison, les promenades dans les bois et au bord de l'Ardèche avec sa jolie cousine Miette dont il est déjà amoureux.

« O choses de mon enfance, quelle impression vous m'avez laissée ! écrira-t-il. Il me semble que c'était hier ce voyage sur le Rhône. Je vois encore le bateau, ses passagers, son équipage. J'entends le bruit des roues et le sifflet de la machine... La traversée dura trois jours. Je passai ces trois jours sur le pont, descendant au salon juste pour manger et dormir... Le Rhône était si large qu'on voyait à peine ses rives... Des mariniers, guéant le fleuve à dos de mules, passaient près de nous en chantant... Vers la fin du troisième jour, je crus que nous allions avoir un grain. Le ciel s'était assombri subitement : un brouillard épais dansait sur le fleuve. A ce moment, quelqu'un dit près de moi : "Voilà Lyon !" »

La révolution de février a stoppé les affaires. En juin 1848, les canuts se sont agités et ont dû être désarmés par la force.

Le quartier lyonnais qu'habitent les Daudet paraît sinistre à ces Méridionaux. Ils souffrent de tout, du ciel gris, du brouillard, de la pluie. Les usages aussi sont différents, comme si l'on était en pays étranger. Le dimanche, la famille en promenade se dirige instinctivement vers Perrache, vers le Midi.

— Il me semble que cela nous rapproche du pays, dit tristement Adeline.

Au lycée Ampère, un maître d'études prend tout de suite Alphonse en aversion. Jamais il ne l'appelle par son nom qu'il feint d'ignorer. En lui parlant, il dit : « Hé, vous, là-bas, le petit Chose ! » A force de l'entendre, les camarades du jeune garçon répètent cette phrase, n'appelant plus Alphonse Daudet que « le petit Chose ». Comment pourraient-ils deviner qu'un jour cet élève mal-aimé donnerait ce titre à son premier roman qui le ferait connaître à vingt-huit ans ? Belle revanche sur ces années grises !

A Lyon, en effet, rien ne va plus. Vincent Daudet tombe malade. Ils habitent maintenant rue du Pas-Etroit, une rue sombre qui débouche sur un quai du Rhône. Vincent a essayé sans succès de créer un atelier d'impression sur foulards. Il n'a jamais eu de chance. Ce commerce va vite péricliter. Comme toute la famille, il regrette son beau Midi et les garrigues ensoleillées.

Pour oublier ses malheurs au lycée, Alphonse sèche les cours et mène une vie assez dissipée. Il est pris d'une folle passion pour le canotage. En manches de chemise, il tire ferme sur les avirons et rame sur la Saône, pressé de sortir de la ville et de retrouver la campagne. Il glisse au milieu des roseaux, aborde dans des îles verdoyantes où les oiseaux sauvages s'enfuient à son approche. Il s'enivre des odeurs de la terre, du parfum âcre des fleurs fatiguées par le soleil. Il s'étourdit de la course effrénée des nuages au-dessus de sa tête et du clapotis mystérieux des vaguelettes contre la barque. Bien des années plus tard, il racontera ses exploits à un autre canotier, célèbre lui aussi, et qui deviendra son ami : Guy de Maupassant. Ils ont tous les deux la même attirance pour les rivières, les jolies femmes et la littérature.

A douze ans, il vit sa première frasque amoureuse. A treize, il écrit déjà des vers. Il est très influencé par Musset. Il compose une apologie d'Homère qui foudroie son professeur. Son frère Ernest l'admire et lui témoigne beaucoup de tendresse. Il pressent son talent, apprécie ses œuvres naissantes, croit en lui et ne cherche qu'à le protéger. Il a abandonné ses études pour aider son père et rêve d'aller faire du journalisme à Paris où Alphonse pourra peut-être un jour le rejoindre.

Dès qu'il a un moment, Alphonse continue à faire du canotage. Il s'est lui-même décrit dans une barque, ses livres de classe à ses pieds, la pipe au bec et dans la poche, une fiole d'absinthe. Pendant des heures, il reste entre le ciel et l'eau, écoute les sifflets des remorqueurs, s'éloigne des bateaux à aube qui l'éclaboussent. Il rame comme un forcené, il a la folie du bateau mais il recherche aussi les filles. Il est déjà très sensuel.

En 1856, Lyon est sérieusement inondé. Napoléon III décide de s'y rendre pour témoigner sa compassion aux sinistrés.

« Je n'oublierai pas, écrit Alphonse Daudet, la route de Villeurbanne transformée en un grand fleuve et charriant des radeaux chargés de femmes, d'enfants, de bœufs, de chevaux, de matelas... »

C'est à ce moment-là qu'il va vivre une des plus douloureuses périodes de son existence. Son père ruiné décide de tenter sa chance à Paris. Tout comme Ernest à qui l'on a proposé une situation dans un journal. Le petit Chose, lui, va devenir, à seize ans, maître d'études au collège d'Alès.

Il y arrive un soir par la diligence de Nîmes. Il est plein d'une immense tristesse. Il a un air gauche et anxieux. Il est accueilli assez froidement par le principal. Comment ce jeune homme timide réussira-t-il à se faire respecter par les collégiens turbulents ? Ils se liguent tout de suite contre ce petit pion incapable de leur en imposer et le chahutent sans pitié. Ils vont faire de sa vie un cauchemar permanent. Ils deviendra très vite leur souffre-douleur. Il est passé sans transition des bancs d'étude à la chaire de surveillant.

« Longtemps après ma sortie de ce bagne, il m'arrivait souvent de me réveiller au milieu de la nuit, ruisselant de larmes ; je rêvais que j'étais encore pion et martyr. »

Il ne trouve aucun secours auprès de ses collègues. Lui, l'être si sensible, l'écorché vif, est rejeté par tous. Dans les brasseries de la ville, les militaires paradent avec de jolies filles. Il les regarde avec envie. Il boit de l'absinthe pour oublier et mène bientôt une vie aussi dissipée qu'à Lyon.

Le jeudi, il emmène ses élèves en promenade dans « la prairie », une fraîche châtaigneraie où se retrouvent des soldats, des comédiens et des grisettes. Il contemple les guinguettes où, sous les tonnelles, roucoulent les amoureux. Il traîne avec peine son troupeau récalcitrant. Ses élèves sont de robustes Cévenols qui en veulent à ce citadin plus distingué qu'eux. Ils ne savent qu'inventer pour le tyranniser. Sa myopie est prétexte aux farces les plus cruelles. Dans son étude, il n'a plus la moindre autorité.

A Alès, il connaîtra Lucile, une servante qui l'aidera un peu à oublier ses peines... Il n'en peut plus. Il souffre tellement qu'il finit par quitter cet emploi au bout d'un an. Son frère, le sachant si malheureux, lui propose de venir le rejoindre à Paris.

Ah ! cette arrivée à Paris. C'est la Toussaint. Il fait très froid. Dans sa poche, il n'a pour toute fortune qu'une pièce de deux francs. Un train omnibus a mis deux jours et deux nuits pour le conduire à Paris. Pendant tout le voyage, il n'a absorbé que quelques gorgées de rhum offertes par des matelots en bordée. Il débarque avec une pauvre malle cloutée qu'il hisse péniblement sur un chariot. Ernest lui montre Notre-Dame, la Cité.

« Les becs de gaz s'éteignaient. Les rues, la Seine et ses ponts, tout m'apparaissait ténébreux à travers le brouillard matinal... Serré contre mon frère, le cœur angoissé, j'éprouvais une terreur involontaire. »

Ils déjeunent dans une crémerie près du théâtre de l'Odéon. Sur son costume d'été, il porte un pardessus démodé. Il est coiffé d'un chapeau provençal. Curieux voyageur de la Toussaint ! Ernest lui montre enfin la mansarde qu'ils vont partager à l'*Hôtel du Sénat* situé rue de Tournon et fréquenté surtout par des étudiants. C'est le décor classique où vivent tous les bohèmes venus chercher fortune à Paris : un lit en fer, une commode-toilette, deux chaises et un poêle en faïence. Le tout pour quinze francs par mois.

Le dimanche, ils pourront déjeuner à la table d'hôte et ils auront pour voisin de table le fils d'un épicier de Cahors qui s'appelle Léon Gambetta et qui, en parlant très fort, frappe du poing sur la table.

Dans la journée, Ernest travaille au journal *Spectateur*. Pendant ce temps, Alphonse écrit des vers dans la mansarde. Il est toujours très influencé par Musset qui est son idole. Il commence même une pièce de théâtre. Quelle joie de mener enfin la vie d'artiste !

Au bout de quelques semaines, se trouvant trop à l'étroit, les deux frères louent une chambre plus confortable à l'étage au-dessus. Leur voisin de palier devient leur ami. C'est encore Gambetta. Derrière la cloison, ils l'entendent qui s'exerce à plaider devant un tribunal imaginaire. Sa voix est tonitruante.

Quand Ernest rentre le soir, Alphonse lui montre les vers qu'il a écrits.

« La littérature était l'unique but de mes rêves. Soutenu par la confiance illimitée de la jeunesse, pauvre et radieux, je passais toute cette année dans mon grenier à faire des vers. C'est une histoire commune et touchante... Mais je ne pense pas que personne ait jamais commencé sa carrière dans un dénuement plus complet que moi. »

Quelle joie quand il a six sous de pouvoir s'acheter une bougie qui lui permettra toute une nuit de lecture !

Les deux frères nourrissent des projets littéraires. C'est une saine émulation.

— Je voudrais que tu écrives quelques chroniques pour le *Spectateur*. Je réussirai peut-être à les faire paraître.

— Je préfère terminer ce recueil de poèmes. J'en ai écrit une douzaine. J'ai déjà trouvé le titre : *Les Amoureuses*.

Et Alphonse ajoute, ne doutant de rien :

— Il est prêt pour l'édition.

Ernest regarde son jeune frère. Ses yeux bruns sont pleins de fièvre. Il croit à son talent, à son succès futur. Il est décidé à se battre pour lui.

Dans la journée, Alphonse flâne sous les galeries autour du théâtre de l'Odéon. Il est fasciné par les livres qu'il feuillette dans les boîtes des libraires avec lesquels il bavarde. Il entre dans des cafés fréquentés par les poètes : *Le Voltaire*, place de l'Odéon, *Le Procope*, rue de l'Ancienne-Comédie. Il y aperçoit Barbey d'Aurevilly et Jules Vallès, amer et sarcastique. Quelquefois, il se hasarde jusque chez *Tortoni*, situé à l'angle du boulevard des Italiens et de la rue Taitbout. Il y voit les hommes politiques et les hommes de lettres les plus en vue. C'est un haut lieu de la vie parisienne.

Il regarde aussi les fiacres, les coupés qui glissent dans ce Paris follement gai. Des femmes en crinoline le frôlent. Il a un peu l'impression de rêver. Il se sent si loin du collège d'Alès où il a tant souffert. Il lui semble qu'ici tout est possible.

Il découvre aussi Montmartre et ses moulins qui le ravissent. Il fréquente bientôt la *Brasserie des Martyrs*, située 75 rue des Martyrs et où se retrouvent d'autres bohèmes, écrivains à leurs heures : Jean du Boys, Charles Bataille, Amédée Rolland. La vie dissipée recommence. C'est là qu'un soir, à dix-huit ans, il va rencontrer Marie Rieu qui comptera beaucoup dans sa jeunesse.

Cette jeune femme est un modèle qui semble sorti tout droit de *La Vie de Bohème*. Elle habite seule à Montmartre et passe son temps à discuter, à boire et à fumer avec les artistes. Elle fait aussi un peu de théâtre mais joue surtout dans les bouis-bouis. Elle est plutôt petite, bien proportionnée et naturellement élégante : une créature gracieuse et vive aux cheveux blonds, à la fois frêle et féline, provocante et émouvante. Tout de suite, il en tombe amoureux.

Elle a eu des passades avec des peintres mais ce garçon un peu fragile et si beau lui plaît. Ils se prennent pour Mimi et Rodolphe. Henri Murger lui-même qui, à quarante ans, vit retiré à Marlotte, près de Fontainebleau, vient les bénir. C'est vrai qu'ils ressemblent à ses héros.

Alphonse est très fier de rencontrer Murger dans cette *Brasserie des Martyrs*. Il le regarde fumer des pipes et vider des chopes de bière. Il connaît son histoire. Il sait que ce fils d'un concierge parisien a mené pendant plusieurs années une existence de misère qu'il a rendue fameuse sous le nom de « vie de bohème ». Ce livre a fait sa réputation et il collabore maintenant à la très sérieuse *Revue des Deux Mondes*. Il vient même de recevoir la Légion d'honneur.

— Un talent fait de fantaisie, d'observation et de lyrisme, d'esprit original et de sensibilité, dit Alphonse à Marie Rieu.

Elle contemple avec attendrissement cet écrivain célèbre. Le visage triste, les yeux rougis, le cheveu rare, il semble s'ennuyer.

Dans cette brasserie, ils rencontrent aussi Pierre Dupont. Accoudé à sa table, ce chansonnier entonne le refrain qui l'a rendu célèbre :

J'ai deux grands bœufs dans mon étable
Deux grands bœufs blancs tachés de roux...

On l'écoute religieusement. Lui aussi boit de grandes chopes de bière. Un peu trop même.

Certains soirs, ils aperçoivent également un poète qui fait rêver le jeune Daudet. Son regard est tourmenté, ses traits ravagés. C'est Charles Baudelaire qui vient de publier *Les Fleurs du Mal*.

Pour Marie, Alphonse écrit un poème qui figurera dans *Les Amoureuses*. Elle habite à deux pas de la *Brasserie des Martyrs* et il la rejoint souvent chez elle. Pour aller la voir, il traverse à pied la moitié de Paris. Et avec de mauvaises chaussures ! Après quelques semaines de folle passion il décide de lui dédier son recueil s'il est édité un jour. Car il croit toujours à sa chance et il a raison.

Il vient de déménager. Il a quitté l'*Hôtel du Sénat* pour loger au sixième étage d'une vieille maison de la rue Bonaparte. Sa fenêtre ouvre sur le clocher de Saint-Germain-des-Prés, juste à la hauteur de l'horloge. Son frère a trouvé un emploi de rédacteur en chef à l'*Echo de l'Ardèche* et doit partir sans plus attendre pour Privas, le laissant seul à Paris. Cette séparation est un déchirement.

— Que vas-tu devenir sans moi, ici ?

— N'aie pas peur. Je me débrouillerai. Je commence à connaître des artistes, des directeurs de revues. J'ai fait le siège de tous les éditeurs avec mon manuscrit sous le bras. Beaucoup de camarades m'aideront.

— Les camarades ! Je les redoute ces bohèmes de Montmartre. Tu as de mauvaises fréquentations. Tu passes ton temps à boire de l'absinthe avec eux et à fumer des pipes. A courir les filles aussi.

Alphonse sourit. L'air un peu sévère de son frère l'amuse. C'est vrai. Maintenant il y a Marie. Il la voit de plus en plus souvent. Il adore sa frimousse, son air mutin. C'est un amour en dents de scie avec des brouilles, des querelles violentes et des réconciliations pathétiques sur l'oreiller. Ils sont très attachés l'un à l'autre. Surtout sensuellement.

Mais il connaît toujours les pires détresses. Les bonnes odeurs de boulangeries et des restaurants sont autant de morsures à son estomac. Une nuit, après une soirée mondaine, le froid et la faim le tenaillant, il va aux Halles pour y manger, en compagnie des gueux et des malandrins, une soupe aux choux de trois sous.

Un autre jour d'hiver où il n'a pu payer sa chambre et où on lui a refusé sa clé, il est contraint de se promener toute la nuit. Mort de fatigue et de froid, il a la chance de rencontrer un ami qui lui donne sa propre clé et il a le bonheur inappréciable de se fourrer dans un lit encore chaud...

Cette même année, il fait la connaissance de Frédéric Mistral qui vient d'arriver de son village provençal de Maillane. Il a dix ans de plus que lui et veut faire publier un poème qu'il a écrit : *Mireille.* Tous les Méridionaux présents à Paris le célèbrent. Lamartine aussi est un de ses admirateurs. Mistral invite Alphonse à venir le voir à Maillane. Quelques jours sans Marie où il s'ennuie d'elle.

« Ah ! la grande chambre de Mistral. J'avais dix-huit ans, lui vingt-huit. Son lit dans un coin, le mien dans l'autre et des causeries sans fin, puis, quelquefois, au milieu de la nuit : "Si nous allions en Avignon, qué ?" Et nous voilà nous habillant à tâtons, traversant pieds nus, des bottines à la main, la chambre voisine où dormait la chère maman de Mistral, derrière son paravent... »

En rentrant, il a la joie de voir éditer son recueil de poèmes *Les Amoureuses* par un libraire de Saint-Germain-des-Prés qui s'appelle Jules Tardieu. Il avait raison de croire à sa chance. Sa muse lui a porté bonheur. Il a fait la connaissance de ce libraire un soir par hasard. L'homme était assis sur une chaise prenant le frais devant sa boutique. Ils ont bavardé de littérature. Alphonse lui a confié ses espoirs et ses déboires avec des éditeurs méfiants et blasés. Il a raconté ses vaines démarches.

— Donnez-moi votre manuscrit, jeune homme. Je le lirai tout de suite. Vous savez que j'ai publié mes propres œuvres. Ce sont des histoires un peu sentimentales. Je les signe : J.T. de Saint-Germain. Si vos poèmes me plaisent...

Le lendemain, il lui a porté ses poèmes. Et Jules Tardieu a lu le premier : *les Prunes*.

Mon oncle avait un grand verger
Et moi j'avais une cousine ;
Nous nous aimions sans y songer,
Mon oncle avait un grand verger.
Les oiseaux venaient y manger,
Le printemps faisait leur cuisine.
Mon oncle avait un grand verger,
Et moi, j'avais une cousine...

Alphonse est fou de joie. A cette époque, son charme a opéré sur une lectrice de la Cour, sensible à sa beauté et à sa « bouche voluptueuse ». Entre deux étreintes, il lui a fait lire ses poèmes et tout s'est enchaîné. La jeune femme les a montrés à l'impératrice Eugénie qui les a trouvés délicieux. De la mansarde d'Alphonse au château de Saint-Cloud, il y a pourtant une sacrée distance ! Quelques jours plus tard, la princesse Mathilde, cousine de l'Empereur, est allée voir elle-même le duc de Morny et lui a dit :

— Monseigneur, nous avons un jeune poète. Il faut lui faire un sort.

Morny n'a pas demandé mieux. Il a fait venir Alphonse et l'a regardé avec bienveillance. Il s'est amusé de ses longs cheveux, de son petit chapeau de berger, de son veston, de ses manchettes garnies de dentelles. Il l'a trouvé à la fois timide et hardi. Brusquement, en lui parlant, le jeune homme très ému a fait tomber son chapeau sur le tapis. Morny a souri et l'a aussitôt engagé.

II

Par la fenêtre de son bureau, Alphonse Daudet regarde Offenbach et Ludovic Halévy quitter le cabinet de travail du duc de Morny. Visiblement satisfaits de leur entrevue, les deux hommes montent dans le coupé qui les attend.

Un peu plus tard, Morny rejoint son secrétaire. Il a l'air lui aussi tout guilleret. Il regarde encore sa magnifique chevelure.

— Eh bien, poète, cette perruque, quand la faisons-nous abattre ?

— La semaine qui vient, Monseigneur.

Morny sourit :

— A présent, je vais recevoir le comte de Castellane.

Alphonse se rend au premier étage, dans le beau « salon chinois » où le président fait attendre ses visiteurs. Le maréchal de France patiente depuis longtemps déjà. Boniface de Castellane a fait la campagne de Russie avec Napoléon, s'est rallié à Louis XVIII, a réprimé des troubles à Lyon en 1830 et plus tard à Perpignan, il a été rétabli dans son commandement par le prince Louis-Napoléon qui l'a nommé maréchal de France à soixante-quatre ans.

Alphonse se souvient l'avoir vu à Lyon au moment des inondations, lorsque l'Empereur était venu apporter sa compassion aux sinistrés. Le maréchal de France s'était rendu avec lui à cheval sur les lieux du sinistre et la foule criait :

— Vive l'Empereur ! Vive le père du peuple !

Alphonse n'était qu'un lycéen perdu dans cette foule. La vie vraiment est un miracle. Aujourd'hui, il s'incline devant le comte de Castellane et le prie d'entrer. Il a quand même envie de sourire. Pendant que cet homme au passé chargé de gloire attendait, Morny, sans se presser, parlait de sa future opérette avec Offenbach et Halévy.

Alphonse est très satisfait de son emploi. Enfin des appointements fixes ! Six mille francs par an. C'est une chance pour lui d'être tombé sur Morny qui aime tant les arts, la littérature et protège les poètes. Grâce à son titre, il pourra aussi voyager gratuitement en chemin de fer et aller embrasser Adeline, sa mère, à Nîmes où elle habite toujours.

De plus, son rôle de secrétaire auprès du duc n'a aucun caractère politique. Quand Morny l'a engagé, il a cru bon de se montrer très franc avec lui. Il lui a avoué qu'il avait gardé les opinions de sa famille et qu'il restait légitimiste.

— Bah, répliqua le sceptique Morny sur un ton badin, soyez ce qu'il vous plaira, pourvu que vous fassiez tailler vos longs cheveux.

Et il ajouta malicieusement :

— L'Impératrice est plus légitimiste que vous.

L'emploi d'Alphonse n'est pas très absorbant. Il pourra réserver tout son temps à écrire pour lui des vers, des contes, des pièces de théâtre. Quelle chance ! Il doit couper les pages des livres nouveaux et indiquer au duc ce qui est bon ou amusant à connaître. Il doit aussi adopter les habitudes de la maison. Morny est un homme de haute manière, sans impertinence ni pose. Nul mieux que lui ne sait traverser un salon gravement, monter en souriant à la tribune, donner du sérieux aux choses futiles. Alphonse n'est pour l'instant qu'un petit roturier de journaliste pauvre, en face d'un grand seigneur dont la devise est « Noblesse oblige ».

Il nous a brossé un portrait de Morny à cette époque où,

à cinquante ans, le duc est surtout préoccupé par la création de Deauville, son grand dada.

« Debout devant la cheminée, Son Excellence, belle tête sérieuse avec un joli sourire. Elégant, parfum de mondanité. Sa petite calotte sur le haut de la tête, sa longue robe de chambre de renard bleu. Il me rappelait le portrait de Richelieu qui est au Louvre. Un de ces hommes placés au-dessus de tous les autres et avec lesquels je ne me suis jamais senti à l'aise parce que je leur sentais trop de puissance... »

Dans la soirée, Alphonse flâne dans Paris. Il se dirige vers le Théâtre de la Porte Saint-Martin où Marie joue un tout petit rôle dans une nouvelle pièce. Il ne l'a pas vue depuis plusieurs jours.

Sur les boulevards, il aperçoit Emile de Girardin, le tout-puissant directeur de *La Presse.* Le journaliste à la mode est un monsieur qui dîne dans les restaurants du boulevard avec les cocottes les plus élégantes de Paris, est accueilli, choyé, craint partout. Un de ses mots fait et défait les réputations en un jour. Distraire à tout prix, telle est la devise de la presse du Second Empire.

On sent dans la capitale une frénésie de plaisir, un désir de jouir à tout prix. Paris ressemble alors à une immense guinguette. Les rois, les empereurs, les princes se précipitent pour applaudir Hortense Schneider. La vie du boulevard est à son apogée. Courtisanes à la mode, journalistes en vogue, étrangers de marque s'y côtoient, s'y bousculent, dans leurs brillants équipages. Toute l'Europe se précipite à Paris pour y dépenser son or à profusion.

Le Second Empire a adopté la moustache cirée et la barbiche à l'impériale. Les femmes portent la crinoline. Gens du monde, hommes de lettres, journalistes, fréquentent *Tortoni, le Café Anglais, le Café de Paris, la Maison Dorée.*

Alphonse est grisé, lui aussi, par cette joie de vivre qu'il respire. Paris à vingt ans ! Il arrive enfin au Théâtre de la Porte Saint-Martin et trouve Marie Rieu dans une loge minuscule. Conquérir une femme a été pour lui une revanche. Marie est jolie et courtisée. Il en est follement jaloux. Dans ce petit monde de la bohème où il l'a rencontrée, on met tout en commun : joies, déceptions, vêtements, femmes aussi.

A cette époque, il fait partie d'« une bande tzigane » où se retrouvent des « irréguliers de l'art, révoltés de la philosophie et des lettres, fantaisistes de toutes les fantaisies, insolemment campés en face du Louvre et de l'Institut ».

Mais cette bohème n'est qu'une étape. Ce qui compte, c'est réussir. Combien tomberont au cours de cette ascension vers le succès ! « La bohème, c'est le stage de la vie artistique, c'est la préface de l'Académie, de l'Hôtel-Dieu ou de la Morgue », a dit Murger qui s'y connaît.

L'une des grandes actrices du Théâtre de la Porte Saint-Martin est à ce moment-là Suzanne Lagier, célèbre autant pour son esprit que pour son talent. Alphonse la croise dans les coulisses et la regarde avec vénération. Il l'a déjà applaudie, perché au « paradis » du théâtre, et elle est là, si près, qui lui sourit.

Un peu plus tard, il embrasse fougueusement Marie.

— Trois jours que je ne t'ai vu, lui dit-elle. Où étais-tu ? Que faisais-tu ? Dans quelques secondes, j'entre en scène.

Elle ne peut plus se passer de lui. Comme il ne peut plus se passer d'elle. Tout à l'heure, il l'emmènera danser au bal Bullier, peuplé d'étudiants et de grisettes. Cette femme moitié ange et moitié démon lui inspirera un jour l'un de ses plus grands succès : *Sapho*.

Alphonse n'est plus le jeune homme mal habillé et famélique qui débarquait à Paris quelques mois plus tôt. Son frère lui a fait connaître un tailleur qui lui a ouvert un crédit. Il adore déjà porter des vestes de velours. Pour corriger sa myopie, il arbore un superbe monocle à l'œil gauche.

Il va collaborer à *Paris-Journal*, y donnant des chroniques, des impressions sur la capitale, qui ont un certain succès. Bientôt, Villemessant, le célèbre directeur du

Figaro, qui a apprécié son talent, l'appelle à son tour, lui demandant d'écrire des contes fantaisistes et rimés. Comment tout peut-il changer si vite ?

Paris l'a déjà un peu adopté, mais la ville a gardé pour lui ce charme fait d'étrangeté, de mystère et aussi d'angoisse. Il aime la parcourir à l'aube, estompée dans le brouillard matinal.

En 1860, Paris a déjà une administration moderne. Vingt arrondissements au lieu de douze, un Conseil municipal plus important, des Justices de Paix partout, des Bureaux d'octroi aux nouvelles portes. La capitale est devenue une grande cité industrielle, éclairée la nuit par 32 000 becs de gaz, soit le double du nombre existant avant l'arrivée d'Haussmann au pouvoir. La balayeuse tirée par un cheval remplace les escouades de femmes qui remuaient la poussière. Ce que la ville gagne en propreté, elle le perd en poésie. Le Paris qu'il contemple n'a plus rien à voir avec celui de Balzac. Mais dans la rue retentissent encore les cris des petits marchands : « J'ai des pigeonneaux... Limandes à frire !... Cresson de fontaine à deux liards la botte ! » Il y a aussi la populaire porteuse de pain, titre d'un mélodrame qui fait pleurer Margot à la *Porte Saint-Martin* justement !

Alphonse regarde les promeneurs. Des redingotes qui montent dans le cou, des châles qui descendent dans le dos. Des omnibus roulent, des fiacres l'éclaboussent en passant. Au coin d'une rue, un joueur d'orgue de Barbarie. A côté, un montreur de singe. Il est heureux et il sourit. Bien sûr, le Midi lui manque. Le chant des cigales aussi. Dès qu'il le pourra, il ira voir sa mère à Nîmes. Il a gardé la nostalgie des garrigues de son enfance et du mas de Vallongue où, le dimanche, on allait manger le gigot à l'ail.

Grâce aux amis de son frère, il est très vite admis dans certains salons de la rive gauche. Après l'édition des *Amoureuses*, Virginie Ancelot a accepté de le recevoir. Il a vingt ans et une tête superbe. Il est doux, aimable et distingué. Il plaît aux dames.

Virginie est la veuve d'un académicien qui habite depuis

quarante ans un vieil hôtel de la rue Saint-Guillaume. En entrant chez elle, Alphonse aperçoit le portrait de la maîtresse de maison, peint par Gérard, célèbre par sa *Bataille d'Austerlitz.*

« On dirait ici que la vie s'est arrêtée à la Restauration », pense le jeune homme qui fait la connaissance d'Alfred de Vigny et du marquis de La Rochejaquelein.

Vigny ! Alphonse l'admire presque autant que Musset. Combien de fois, rempli d'émotion, a-t-il récité *La Mort du loup* ? A l'époque où il le rencontre, Vigny s'est figé dans l'attitude hautaine du poète-penseur qui dédaigne la foule, mais découvre dans la pitié un remède à son mépris. Alphonse sait qu'il a beaucoup souffert de sa rupture avec l'actrice Marie Dorval qui a personnifié les grandes héroïnes du drame romantique et qui est morte dix ans plus tôt. Vigny a laissé des traces de sa douleur dans le *Journal d'un poète.*

Virginie Ancelot est elle-même une femme de lettres distinguée qui aime protéger les jeunes poètes.

— Voulez-vous, mon ami, nous faire le plaisir de nous dire une de vos œuvres ?

Il est encore timide. Il n'est pas débarrassé de son léger accent. Dire des vers devant Vigny, quelle épreuve ! Il commence.

— Plus haut ! s'écrie-t-elle. Plus haut ! M. de La Rochejaquelein n'entend pas.

Alphonse est étonné que ce Vendéen célèbre, qui servit Napoléon et fut blessé à la Moskova, soit devenu un vieux monsieur chancelant...

Le chansonnier Gustave Nadeau arrive à son tour. On n'a pas besoin de le supplier pour qu'il se mette au piano.

— Je vais vous interpréter ma chanson *Les Deux gendarmes.* Savez-vous qu'elle a eu l'honneur d'être chantée en conseil des ministres par l'Empereur en personne ?

Dans le salon de la comtesse Chodsko, Alphonse Daudet rencontre aussi le futur pamphlétaire Henri de Rochefort qui se prend d'affection pour lui. En 1858, Rochefort a fondé la *Chronique parisienne* avec Jules Vallès, puis est entré au *Charivari.* C'est un homme redouté et redoutable.

— Vous semblez tout frais débarqué des bords de l'Illyssus, enfant à la tête de Daphnis, dit-il.

— Pardon ?

— Je veux dire que je vous trouve étrange avec votre costume moitié étudiant et moitié rapin. Quelle fraîcheur !

Alphonse est invité aussi à une soirée chez Augustine Brohan, une sociétaire de la Comédie-Française qui reçoit dans son salon tout ce que Paris compte de gens importants. Pour la première fois, il revêt un habit qu'il a eu bien du mal à acheter.

La sémillante comédienne habite un luxueux hôtel particulier, rue Lord-Byron. Il est très impressionné par le jardin, le perron illuminé, les femmes qui gravissent l'escalier, largement décolletées, avec leur robe à crinoline, le valet de pied qui l'introduit dans le salon plein de monde. Dans la lumière blonde des lustres, il bredouille son nom que personne ne connaît.

« Vous tous, Parisiens de Paris, qui dès l'âge de seize ans avez, dans votre premier habit noir et le claque sur la cuisse, promené votre adolescence à travers les réceptions de tous les mondes, vous ne connaissez pas cette angoisse faite de vanité, de timidité, qui fait de nous petits provinciaux un pauvre être mourant de soif plutôt que d'approcher du buffet », pense-t-il.

Des femmes le regardent avec intérêt. Elles sont intriguées par son épaisse chevelure, son teint très mat. Bientôt, un bruit se répand dans l'assemblée. On chuchote :

— C'est le prince valaque.

— Le prince valaque ? Enfin ! Il s'est fait un peu désirer...

La méprise s'installe. On le prend pour ce prince qu'on attendait et qui n'est pas encore venu. Il y a tant de princes étrangers à Paris en ce moment ! Il n'ose pas avouer la vérité. On l'entraîne dans un quadrille effréné. Il en perd son monocle. On le conduit vers le buffet. Sa manche accroche un verre, puis d'autres. C'est très vite un désastre dû à sa myopie et à sa maladresse. Il ne songe plus qu'à s'enfuir, couvert de honte, quand un grand vieillard s'approche de lui. C'est le docteur Ricord, médecin de l'Empereur.

— Prince, j'ai une place pour vous dans ma voiture. J'ai appris que nous étions voisins. Attendez-moi. J'aime beaucoup votre pays.

— Je vous remercie infiniment mais...

Il ne cherche qu'à filer à l'anglaise. Il est venu en effet sans pardessus. Il n'a pas eu encore les moyens de s'en acheter. Un prince valaque peut-il se montrer dehors sans fourrures ? Il réussit quand même à s'échapper et pour oublier sa déconvenue, décide de se rendre au bal Mabille qui se trouve avenue Montaigne. Il s'y sentira plus à l'aise et y retrouvera sans doute des amis.

Le fiacre s'arrête sur le rond-point des Champs-Elysées. De loin, il entend les flonflons. Il suit l'allée de verdure qui mène au cœur du jardin et pénètre dans un grand hall aux glaces soulignées d'or où la foule se presse. Des dizaines de becs de gaz flamboient. Chaque soir, les danseurs amateurs abandonnent la piste aux professionnels : Rose Pompon, Céleste Mogador, la reine Pomaré (de son vrai nom Elise Sergent). Rigolboche, la reine du *Chahut*, se déchaîne. Son visage est aussi laid que sa voix mais elle a un entrain étonnant qui déride les plus moroses. On l'applaudit follement dans cette frénésie de plaisir qui secoue Paris.

III

Privas est un gros bourg de quatre mille habitants où tout le monde se connaît. C'est un chef-lieu perdu dans les montagnes, à l'écart de toutes voies de communication, sans chemin de fer. Ernest Daudet, devenu rédacteur en chef de *L'Echo de l'Ardèche*, ne goûte dans ce journal que de rares satisfactions intellectuelles. Il s'agit simplement de tenir les lecteurs au courant des questions d'intérêt local. La politique ne les intéresse guère. Les arts et la littérature encore moins. Le propriétaire du journal est un simple imprimeur avec qui il a peu d'affinités.

Ernest est descendu à l'hôtel. Il déjeune souvent avec deux substituts du procureur impérial. Il a laissé sa fiancée à Nîmes, près de sa mère.

Quelle joie pour lui de voir arriver un beau jour Alphonse par la diligence ! Il trouve son frère plus élégant, d'aspect moins bohème. Est-ce cet emploi chez le duc de Morny qui l'a transformé ? Ce sont entre eux d'interminables effusions.

— Mon cher petit, dit Ernest, quels succès à Paris depuis que je t'ai quitté ! Tu collabores au *Figaro*. Te voilà auprès du duc de Morny. Je t'envie.

Alphonse sourit.

— Et toi, tu es devenu rédacteur en chef à vingt-trois ans !

— *L'Echo de l'Ardèche* ne me mènera pas loin, tu sais. Je m'ennuie un peu. Un moment, j'ai pensé me fixer à Privas après mon mariage mais... Ici, parmi mes amis, chacun s'apprête à quitter ce lieu d'exil. Je suis bien avec le préfet qui, par bonheur, est un poète. Toi, tu as tout pour réussir à Paris. Tu es beau, trop beau même. Tu as de l'esprit, du génie.

Alphonse regarde son frère. Des tas de souvenirs lui reviennent. Cette tendre affection qui les a toujours unis date de la petite enfance. Ernest a été le premier à comprendre son caractère qui déconcertait ses parents, à apprécier son extrême sensibilité. Il se revoit à Nîmes dans son rôle d'enfant de chœur, vêtu de la soutane et marchant en tête du cortège. Ernest suivait en aube et en surplis. On avançait en chantant des cantiques, sous le regard des fidèles. Et plus tard, à Lyon, au lycée Ampère, quand tout le monde l'appelait méchamment « le petit Chose », son frère le protégeait. Et ce jour où Ernest l'avait vu rentrer d'une folle partie de canotage, le regard trouble, ivre d'absinthe à douze ans ! « Prends garde ! Papa est là ! » Il s'était maîtrisé, avait repris tant bien que mal ses esprits... Et quand il l'avait rejoint plus tard à Paris, après avoir souffert un véritable cauchemar au collège d'Alès, petit pion persécuté par tous. Ernest l'attendait, le regard attendri. Alphonse mourant de faim, vêtu misérablement, l'avait suivi jusqu'à cette crémerie encore fermée près de l'*Hôtel du Sénat*. Ils avaient dû attendre longtemps, se promenant dans les rues pour se réchauffer.

— Une omelette pour deux, avait crié Ernest. Et bien cuite surtout.

Au moment du dessert, ils faisaient déjà de merveilleux projets d'avenir. Son frère avait tellement confiance en lui.

Tandis qu'il était perdu dans ses pensées, Ernest l'a conduit tout doucement vers la table d'hôte.

— As-tu été dans le monde pour le lancement de ton livre, comme je te l'avais conseillé ? demande-t-il.

— Oui. Je me suis même rendu à la bibliothèque de l'Arsenal, dans le petit salon vert, de feu Charles Nodier. On y jouait des charades dans l'une desquelles j'ai figuré sur un marché turc, travesti en Circassienne, revêtu de longs voiles. Je suis rentré presque toujours excédé de ces excursions soi-disant littéraires. Que de temps perdu, que d'heures gaspillées, à ces petits riens venimeux ou niais, dans cette atmosphère de petites calomnies, sur ces Parnasses en carton où aucune source ne court, où aucun oiseau ne chante...

Les deux substituts du procureur viennent les rejoindre. L'un d'eux est Nîmois. Il félicite Alphonse pour ses succès à Paris. Il a lu l'un de ses articles dans *Le Figaro*.

Ils viennent à parler de l'Empereur qui se trouve en Italie où il commande l'armée en campagne contre l'Autriche. En l'absence de son époux, c'est l'Impératrice qui assure la régence.

— Votre frère nous a raconté qu'elle avait dit elle-même vos vers à l'une de ses soirées au château de Saint-Cloud. Mais c'est la gloire, jeune homme !

Alphonse pense immédiatement à la jolie lectrice de la Cour qui s'était entichée à la fois de lui et de ses poèmes. Quelle femme passionnée ! Leur liaison avait peu duré. Marie Rieu y avait mis bon ordre. Quelle tigresse cette Marie, folle, capable des pires excès pour défendre son bien ! Marie avec son visage chiffonné, passant si facilement du rire aux larmes, meilleure comédienne à la ville qu'à la scène, Marie, la muse des peintres et des poètes, qui a toujours vécu dans des mansardes, traînant dans les brasseries, se couchant tard, se levant encore plus tard. A la fois Mimi Pinson, grisette imprévoyante, obligeante, charitable et femme fatale. Marie, orage de sensualité. Avant son départ pour Privas, elle est entrée dans une grande colère, criant qu'elle allait mourir s'il la quittait huit jours, qu'elle ne le supporterait pas. Marie qui lui fait peur, car c'est déjà une chaîne...

Après le dîner, dans sa chambre, à la lueur d'une bougie, Ernest écrit à sa fiancée :

« J'ai eu un grand bonheur à revoir Alphonse, et les quelques jours que nous passons ensemble sont exquis. Je ne sais ce qu'ils dureront ; il n'a rien fixé quant à la date de son départ. En attendant il travaille et, en dehors de son travail, nous avons des conversations qui nous font du bien à l'un et à l'autre... Alphonse est d'une nature très rêveuse, excessivement délicate et très portée à vivre hors des voies ordinaires. C'est un poète païen dans toute l'acception du mot. Au nom de quoi veux-tu que je lui demande de renoncer à telle ou telle jouissance ? Il a l'âme malade et surtout le cœur. Ce qui l'a blessé c'est le doute et ce qui lui a donné le doute, c'est surtout les femmes. Un jour, je l'espère, une autre femme viendra qui fera refleurir dans cette riche intelligence la croyance éteinte et réparera le mal... »

Alphonse a décidé de profiter de ce voyage pour aller voir sa mère à Nîmes. Au moment de prendre la diligence, il dit à son frère :

— Tu ne sembles pas beaucoup te plaire à Privas. La rentrée du Corps législatif approche. Serais-tu heureux que je parle de toi au duc de Morny ? Peut-être pourrais-tu travailler toi aussi à son cabinet ?

A Nîmes, Alphonse retrouve Adeline, sa mère, qui vit avec sa dernière fille, Anna, hébergée chez une de ses sœurs. Vincent Daudet navigue entre Lyon et Paris. Il a toujours bien des problèmes financiers. Depuis des années, il se débat au milieu des tracas de toutes sortes. A Lyon, des huissiers ont saisi son mobilier. Ruiné et devenu courtier en vins, il n'a pas conservé longtemps cet emploi. Il est venu à Paris au moment de l'Exposition universelle, espérant refaire fortune dans la soie. Le baron Haussmann a des projets grandioses pour la transformation de la capitale et de nombreuses entreprises se constituent de jour en jour. C'est peut-être une chance pour lui.

Quel bonheur pour Alphonse de retrouver son pays, ce

soleil qui lui a tant manqué pendant ces derniers mois ! Il revoit des oncles, des cousins, la jolie fiancée de son frère. On le fête. On le félicite pour ses succès. Ici aussi on a lu ses articles dans *Le Figaro*.

Anna, sa jeune sœur, lui saute au cou. Adeline l'embrasse avec émotion. Elle a été très déçue par sa vie conjugale. Les maternités successives ont bien fatigué cette femme qui a eu aussi la douleur de perdre son fils aîné, Henri. Devant les traits ravagés de sa mère, Alphonse se souvient d'une scène qui l'a marqué à jamais, quatre ans plus tôt.

C'était dans les derniers jours de leur installation à Lyon. Vincent Daudet dont les malheurs commerciaux ne faisaient qu'empirer était à bout de ressources. Il avait vendu en bloc ses marchandises, liquidé sa comptabilité, obtenu un arrangement pour le règlement de ses dettes. Au milieu de tous ces tourments, Vincent et Adeline venaient d'apprendre que leur fils Henri, resté à Nîmes, était atteint d'une fièvre cérébrale. Adeline avait décidé de se rendre auprès de lui mais elle n'avait pas eu le temps de le revoir vivant. A peine était-elle partie, qu'ils avaient reçu une dépêche contenant ces simples mots : « Il est mort. Priez pour lui. » Alphonse n'a pas oublié cette horrible scène. L'arrivée du télégraphiste. Son père et Ernest pleurant avec lui une partie de la nuit. Et le retour tragique d'Adeline faisant le récit des obsèques...

Les souvenirs naissent des parfums. Alphonse retrouve les fleurs, les oiseaux, les insectes de son enfance. L'olivier et la vigne naturellement, souverain et souveraine. Et les plantes les plus humbles, celles des garrigues et des rivages, celles des haies et des roubines, celles du petit jardin entre champ et maison.

Il retrouve aussi la demeure où il est né.

Il profite de ce voyage en Provence pour rendre visite à son ami Frédéric Mistral dans son joli village de Maillane où, célibataire, il vit dans un mas avec sa mère. Ce sont encore des effusions. Maillane est un gros bourg qui ressemble, avec ses rues ombragées de platanes, à un vieux village italien. L'eau court dans les fossés et on voit tourner une roue de moulin. Des maisons, sort un bruit continuel des métiers de tisseurs. Mistral habite au bout du pays. Une maison de paysan cossu, un rez-de-chaussée et un étage. Tout en composant ses chansons et ses poèmes, il surveille ses vignes qui sont prospères. Vivant toujours en pleine campagne, il aime bavarder avec les paysans. Il s'arrête près d'un berger, d'un laboureur et les interroge.

« Il n'y a qu'un Mistral au monde, dit Alphonse Daudet, celui que j'ai surpris dimanche dernier dans son village, le chapeau de feutre sur l'oreille, sans gilet, en jaquette, l'œil allumé, le feu de l'inspiration aux pommettes, superbe avec un bon sourire, élégant comme un pâtre grec, et marchant à grands pas, les mains dans ses poches, en faisant des vers...

« — Comment ! C'est toi ? crie-t-il en me sautant au cou ; la bonne idée que tu as eue de venir ! Tout juste aujourd'hui, c'est la fête de Maillane. Nous avons la musique d'Avignon, les taureaux, la procession, la farandole, ce sera magnifique. »

Il lui fait aussi cette profession de foi :

— Pourquoi j'écris en provençal ? Mais parce que le provençal est ma langue, la langue de la terre où je suis né. Parce que mon père, ma mère, parlent provençal. C'est en provençal qu'a été bercée mon enfance. Tout le monde, autour de moi, dans mon village, la parle, cette belle langue de Provence. Les femmes à la cueillette des olives et les petits qui, courant au soleil des routes, n'en parlent pas d'autre ! Le laboureur la parle à ses bœufs, le curé, en chaire, chez nous, prêche en provençal et c'est en provençal que chantent les oiseaux !

Au cours de ses études au collège d'Avignon, Mistral a fait la connaissance de Joseph Roumanille, jeune répétiteur avec lequel il partage bientôt une véritable passion pour les vieilles traditions et la langue provençales. Il apporte une collaboration très remarquée aux « Provençales », recueil collectif de vers, et entreprend d'écrire le poème de *Mireille.* Il est l'un des sept participants de la réunion des poètes provençaux à Fontsegugne, d'où sortira la première organisation du félibrige. Il participe activement à la création de l'*Almanach provençal*, organe annuel du félibrige. C'est au cours de cette réunion qu'il a trouvé ce nom pour qualifier les membres de cette nouvelle école. Félibre veut dire poète ou prosateur en langue d'oc. Ce nom, Mistral l'a recueilli dans une vieille cantilène où la Vierge Marie raconte qu'elle a un jour trouvé son fils dans le temple « parmi les sept félibres de la loi » et il donne à ce mot le sens de « docteur de la loi ».

« Le français ? Ce n'était pour lui qu'une langue apprise aux écoles, comme une langue étrangère, dit encore Alphonse Daudet. Et il me racontait sa vie, il me parlait de son enfance passée en pleine campagne... Avec quelle amertume, il me parlait des tristesses du collège, où sa libre enfance habituée au plein air et au grand soleil des champs s'était tout d'un coup trouvée emprisonnée ! Le diplôme de bachelier conquis, il lui fallut faire son droit à Aix. Ce n'était plus l'étroite prison mais c'était encore l'exil, un exil de poète chez les Scythes, un exil de poète provençal perdu dans la langue française. Enfin il revint au mas et comme son père lui demandait : "Que veux-tu faire ?", il répondit : "Travailler la terre et faire des vers." Tout ce qui devait être sa vie tenait dans ces seuls mots. »

A Maillane, dans ce petit mas, assis au soleil, près de Mistral, Alphonse revoit le jour où celui-ci était venu le voir pour la première fois dans sa chambre de la rue de Tournon, son manuscrit de *Mireille* soigneusement roulé et ficelé sous le bras.

A mesure que Mistral parlait, une bonne odeur, fraîche et vivace de son pays depuis longtemps quitté, remplissait l'étroite chambre. Il le retrouvait, ce délicieux parfum de Provence, en écoutant cette belle langue, sonore et musicale, se mêler aux bruits de fiacres et d'omnibus sur le pavé de la rue de Tournon. Mistral avait lu un chant, puis deux. Au second, Alphonse avait eu la surprise d'y trouver le nom de la Font-dou-Rei, mas de Beaucaire qui avait appartenu dans le temps à sa famille. C'était ainsi qu'ils étaient devenus amis... Pendant ce voyage en Provence, Alphonse, à vingt ans, fait déjà la pêche aux souvenirs.

Mistral lui fait connaître aussi quelques-uns de ses compagnons, les félibres : Théodore Aubanel, qui habite Avignon, Joseph Roumanille, Félix Gras. Il se lie avec eux d'une amitié qui ne cessera jamais.

Tout à coup jaillit une musique de fifres et de tambourins. Mistral est conseiller municipal et on vient lui donner l'aubade. Un peu plus tard, tout le village est dans la rue. Alphonse regarde passer une procession : pénitents en cagoule et confréries de filles voilées, grands saints de bois dédorés, saintes de faïence coloriées, dais de velours vert.

Quel joli déjeuner aussi dans la pièce à tapisserie claire ! Un morceau de chevreau rôti, du fromage de montagne, de la confiture de moût de figues, des raisins muscats. Le tout arrosé de châteauneuf-du-pape. La mère de Mistral ne se met pas à table, selon l'usage d'autrefois qui n'autorise pas les femmes à partager le repas des maîtres de la maison.

L'après-midi, c'est la fête. Ils vont voir les taureaux, les jeux sur l'aire, et puis, le soir, ils assistent à la farandole qui, à la lueur des lanternes de papier, durera toute la nuit.

En quittant Mistral, Alphonse se rend à trois lieues de là, à Fontvieille, un village où habite un de ses cousins éloignés, Timoléon Ambroy, qui vit dans sa propriété familiale du château de Montoban, avec sa mère et ses frères. Tim, comme il l'appelle, est vite devenu son meilleur ami. Leur admiration commune pour Victor Hugo les a rapprochés. Alphonse a décrit lui-même ce lieu qu'il rendra célèbre.

« Sur la route d'Arles, aux carrières de Fontvieille, passé le mont de Corde et l'abbaye de Montmajour, se dresse vers la droite, en amont d'un grand bourg poudreux et blanc comme un chantier de pierres, une montagnette chargée de pins, d'un vert désaltérant dans le paysage brûlé. Des ailes de moulin tournoient dans le haut ; en bas s'accote une grande maison blanche, le domaine de Montoban, originale et vieille demeure qui commence en château, large perron, terrasse italienne à pilastres et se termine en muraille de mas campagnard. »

On désigne les quatre garçons qui vivent dans ce domaine par les professions qu'ils exercent : le Consul, le Notaire, l'Avocat. Tim, c'est le Maire. Braves gens, maison bénie, où la mère gouverne seule ce domaine considérable d'oliviers, de blés, de vignes, de mûriers.

Alphonse se promène partout dans ce pays de poètes et de troubadours, avide de voir et de connaître les vieilles pierres et les jeunes filles. Comme ses amis, il chérit la vie, l'art et la beauté. Il écoute les heures sonner au clocher de Fontvieille. Il est émerveillé par un vieux moulin, le moulin Tissot, qu'il rêvera toujours d'acquérir :

« Une ruine, ce moulin, un débris croulant de pierre, de fer, et de vieilles planches qu'on n'avait pas mis au vent depuis des années et qui gisait, les membres rompus, inutile comme un poète... Dès le premier jour, ce déclassé m'avait été cher. Je l'aimais pour sa détresse, son chemin perdu sous les herbes, ces petites herbes grisâtres et parfumées avec lesquelles le père Gaucher composait son élixir... »

Il reste là tout le jour, comme un lézard, « à boire de la lumière, en écoutant chanter les pins ».

Fantastique Provence ! Toute frémissante de la course affolée des lézards. Femelle sauvage aux flancs âpres, toute secouée par le mistral, ce vent du diable.

Maîtresse brûlante aux vallées douces parfois, remplies de rivières caquetantes et mousseuses, aux rocs lunaires, aux villages perchés dont les clochers butent du nez contre le ciel, aux garrigues sèches, parfumées. Oh ! les folles odeurs de pins de résine chaude, du thym mort à force de soleil, des gerbes de lavandes égarées.

Provence de terre rouge, de caillasse blanchâtre, de beffrois oubliés, de pierres usées par un trop long passé. Tes fontaines qui saignent, tes bories séculaires, tes ruisseaux qui pleurent, tes moulins aux ailes arrachées, tes bouquets de lauriers-roses bordant mille jardins, tes champs de tournesols qui riboulent des yeux vers la lumière.

Provence rongée par le chant des cigales, fatiguée par les bourrasques violentes de ses vents contradictoires, grillée à blanc.

IV

Paris, ses brumes, ses journaux, les trottoirs éclairés au gaz, les discussions au café le soir, ou sur le péristyle des théâtres, Alphonse a retrouvé tout ça.

En rentrant, il déménage. Il a déniché une chambre, passage des Douze-Maisons, une voie étroite tracée entre l'avenue Montaigne et la rue Marbeuf. Il sera plus près de son travail et... du bal Mabille. C'est un endroit un peu campagnard, un fouillis de jardins.

Pour se rendre chaque matin à l'hôtel de la Présidence, il passe par le cours La Reine, le pont des Invalides et le quai d'Orsay. Il est devenu presque élégant à présent, grâce à son tailleur qui lui consent toujours du crédit.

Le secrétariat du duc de Morny est dirigé par Ernest L'Epine à qui l'on vient de donner comme collaborateur Ludovic Halévy. Ce secrétariat est une pépinière de futurs auteurs. On s'amuse beaucoup chez M. de Morny qui signe lui-même ses comédies M. de Saint-Rémy. En engageant Alphonse Daudet et Ludovic Halévy, il a pris ses précautions. Au cas où il aurait besoin de collaborateurs discrets et efficaces pour ses futures œuvres théâtrales, il les a sous la main. « Le Second Empire, c'est une valse », dira Sacha Guitry né quinze ans après sa chute.

Alphonse collabore toujours au *Figaro* qui est installé

au coin de la rue Vivienne et du boulevard Montmartre. Villemessant y règne en véritable despote. Ce jour-là, il est absent, mais une demi-douzaine de rédacteurs réunis autour d'une table à tapis vert dépouillent les journaux, écrivent ou bavardent en attendant le retour du patron.

Alphonse les observe quand brusquement la voix de Villemessant retentit. Il s'adresse à Paul d'Ivoi, un chroniqueur célèbre qu'il a arraché à prix d'or au *Courrier de Paris*, et qui écrira un jour *Les Cinq sous de Lavarède.*

— Etes-vous content de votre article ?

— Je le crois réussi.

— Allons, tant mieux, c'est parfait. Comme ce sera votre dernier...

— Comment, le dernier ?

— Parfaitement ! Je ne plaisante pas... Votre copie est assommante... Il n'y a qu'un cri sur le boulevard. Voilà assez longtemps que vous nous embêtez !

Tout pâle, Paul d'Ivoi s'est levé.

— Mais monsieur, et notre traité ?

— Notre traité ? Elle est bien bonne ! Essayez de plaider, ce sera drôle, je donnerai lecture de vos chroniques en plein tribunal et nous verrons s'il y a un traité qui me force à fourrer dans mon journal pareilles niaiseries.

Alphonse est terrifié par cette scène. L'exemple de Paul d'Ivoi si brutalement exécuté ne s'effacera pas de sitôt dans son esprit.

En quittant *Le Figaro*, il entre au *Café de Madrid* pour boire un bock. Cette scène l'a assoiffé.

On en voit des gens célèbres sur le Boulevard : Baudelaire, les cheveux teints en vert, Villiers de l'Isle-Adam, un Viking, Sainte-Beuve, à l'œil porcin. Alphonse aperçoit aussi Léon Gambetta, son ancien voisin de chambre de la rue de Tournon. Celui-ci vient vers lui et lui serre cordialement la main.

— On parle de toi dans les journaux, dit Alphonse. Il paraît que tu t'intéresses furieusement à la politique. Je pense souvent aux discours que tu répétais seul dans ta chambre. Quelle voix tu avais déjà ! Elle s'élevait pour s'abaisser et repartir de plus belle, crescendo, comme si tu t'efforçais de foudroyer d'arguments un auditeur rebelle. J'ai toujours pensé que tu ferais ton chemin.

— Moi aussi, répond Gambetta. J'ai beaucoup aimé ton recueil de vers *Les Amoureuses.* Où en es-tu ?

— Il faut bien vivre. Je suis devenu l'un des secrétaires du duc de Morny.

Gambetta fait une grimace qui en dit long sur ses sympathies à l'égard du régime.

Alphonse aperçoit aussi Jules Vallès, le nez dans son absinthe, et à côté de lui, le peintre Courbet riant à pleine barbe.

Les grands événements de la vie parisienne naissent souvent ici : un journal qu'on fonde, un livre qui va paraître, une exposition de peinture, une paire de gifles retentissante donnée par une actrice à un chroniqueur trop perfide, une rencontre sur le pré pour une réplique cinglante.

Au *Café de Madrid*, il retrouve Théodore de Banville qu'il a connu à la *Brasserie des Martyrs.* Ce poète représente une seconde génération romantique dans laquelle les jeux de « l'art pour l'art » l'emportent sur les grandes ambitions de 1830. Il vient de publier des *Esquisses parisiennes.* Il dessinera ce beau portrait de son jeune camarade :

« Une tête merveilleusement charmante, la peau d'une pâleur chaude et couleur d'ambre, les sourcils droits et soyeux ; l'œil enflammé, noyé, à la fois humide et brûlant, perdu dans la rêverie n'y voit pas mais est délicieux à voir. La bouche voluptueuse, songeuse, empourprée de sang, la barbe douce et enfantine, l'abondante chevelure brune, l'oreille petite et délicate, concourent à un ensemble fièrement viril, malgré la grâce féminine. »

En plus de Ludovic Halévy, le duc de Morny annonce à ses collaborateurs qu'il cherche un candidat pour un poste devenu vacant. Immédiatement, Alphonse, qui n'oublie pas sa promesse, télégraphie à son frère à Privas.

Celui-ci prend une vieille patache pour gagner la gare

de Loriol, sur la rive gauche de la Drôme, et là, le train pour Paris. Un voyage long et compliqué mais quand il arrive le poste n'est toujours pas pourvu.

— Le président veut te connaître. Il te recevra demain matin à sept heures, lui dit Alphonse plein d'espoir.

Le lendemain, Ernest est introduit dans le salon du premier étage. Il porte un habit noir, une cravate blanche et des escarpins vernis et il attend patiemment jusqu'à deux heures de l'après-midi. Une ravissante jeune femme blonde, fumant une cigarette, traverse la pièce. C'est la duchesse Sophie. Elle prévient enfin son mari. Quelques minutes plus tard, le duc fait irruption dans la pièce, en veston de velours bleu.

— Qui êtes-vous ? Que faites-vous là ?

— Monseigneur, nous avons rendez-vous. Mon frère Alphonse...

— Ah ! mon pauvre garçon, je vous ai oublié ! Oui, votre frère m'a parlé de vous. Vous voulez être secrétaire-rédacteur. Il paraît que les questions politiques vous sont familières. Vous êtes nommé. Allez voir M. Valette, le secrétaire général, il vous présentera M. Denis de Lagarde, votre chef de service.

Quelle joie pour Ernest de retrouver Paris ! Il pourra voir son frère tous les jours et installer un appartement en vue de son mariage avec sa jolie cousine qui l'attend toujours à Nîmes.

Fou de joie, il court vers le bureau voisin pour annoncer la bonne nouvelle à Alphonse. Il trouve son frère avec Ernest L'Epine. Tous les deux ne sont pas penchés sur un dossier. Ils sont en train de commencer à écrire une pièce de théâtre dont ils ont déjà trouvé le titre, *La Dernière idole.*

Ernest L'Epine est très sympathique. Il réserve un chaleureux accueil au nouveau venu.

— Vous verrez. Ici, c'est une excellente maison où les poètes sont les bienvenus. Je suis sûr que nous nous entendrons très bien. Vous aurez beaucoup de temps libre. Les fonctions ne sont guère astreignantes, hors les périodes de sessions du Corps législatif. Et ces sessions ne durent que trois ou quatre mois par an. Vous pourrez donc demander des permissions et des congés.

— Quel bonheur pour moi ! dit Ernest. Quand je suis arrivé pour la première fois à Paris, j'ai eu bien des déboires. J'étais devenu le secrétaire d'un vieux maniaque qui me dictait ses Mémoires à raison de quatre-vingt-dix francs par mois. Quand mon frère est venu me retrouver, nous avions du mal à joindre les deux bouts. Il achetait souvent pour quelques sous de pain et de saucisson, se mettait au lit et y restait à rêver et à travailler pendant deux ou trois jours. C'était vraiment la bohème.

Il est impatient de connaître le nouveau logis d'Alphonse. Ils partent bientôt ensemble. Ils marchent d'un pas vigoureux. Deux Rastignac lâchés dans Paris. Il fait doux. Le temps est printanier. Toujours le même joueur d'orgue au coin du pont des Arts.

— J'habite entre deux demeures seigneuriales, explique Alphonse, les hôtels de Heeckeren et de Lillers. Ce dernier est habité par l'ex-roi de Hanovre, George V. Cet ancien monarque est devenu aveugle et vit avec sa fille, la princesse Frédérique qui le soigne. Je l'ai déjà rencontré au moment où il faisait sa courte promenade. C'était une scène touchante. Et cette princesse est si belle ! Comme elle me fait rêver !

Quand ils y arrivent, Ernest est très déçu. Il est tout surpris de constater que ces beaux hôtels voisinent avec une voie boueuse mal éclairée et occupée par des garnis borgnes qui abritent des domestiques, des loueuses de chaises, et même des mendiants. C'est cela le passage des Douze-Maisons.

— Je n'ai jamais été difficile, dit Alphonse. Ma chambre se trouve près du quai d'Orsay où j'ai mon bureau et c'est le principal. Un seul inconvénient : j'ai comme voisins un ménage d'ouvriers dont le mari, ivrogne invétéré, fait périodiquement des scènes bruyantes en battant sa femme et ses enfants. Par bonheur, je découche sans cesse au hasard de mes rencontres avec des amis anciens et nouveaux. Et puis, je peux faire des promenades dans ce quartier verdoyant de jardins.

Ernest regarde encore cette rue laide avec son ruisseau au milieu, ses maisons à demi construites et achevées en vieilles planches, ses espèces de chalets desservis par des escaliers donnant à même la chaussée. Ils montent enfin vers la chambre. Alphonse tourne la clé dans la serrure et en face d'eux, dans la pièce sombre, Ernest découvre Marie Rieu.

Alphonse lui a déjà parlé de cette femme. Il sait que son frère l'a connue à la *Brasserie des Martyrs* où elle fréquentait les peintres et les poètes du cru. Fine, le nez court, des lèvres sensuelles. Des bras, des épaules un peu maigres. Jeune, belle ? Il ne saurait le dire. Le genre actrice en tout cas. Elle porte une toilette élégante. Une robe de soie. Des bottes légères. C'est une vraie Parisienne. Il ne lui manque même pas la voilette.

Alphonse les présente.

— Nous ne pensions pas te trouver ici, Marie.

— Tu sais bien que j'aime souvent te surprendre. Je suis tellement jalouse, dit-elle en souriant.

Ernest la regarde encore. Au fait, comment l'imaginait-il ? Une fille de brasserie, une fille de plaisir, jeune et jolie comme il en a connu ? En général, elles le déçoivent par leur rire vulgaire et leurs manières grossières. Il s'étonne de trouver en celle-ci une douceur, une réserve avec aussi une supériorité sur les bourgeoises de province : une connaissance de toutes choses et des arts. Mais il a toujours voulu protéger son frère et il est persuadé que cette femme ne lui vaut rien.

— Vous venez du Midi, vous aussi ? lui demande-t-elle.

— Oui, bien sûr.

Ernest reste songeur dans cette pièce triste et humide, auprès de cette femme trop parfumée. Il pense brusquement à son enfance avec Alphonse. Comme ils étaient heureux jadis tous les deux, secoués au vent du Rhône, au vivifiant mistral ! Et si ce décor n'était que celui d'un mauvais rêve ! Il s'esquive très vite.

Alphonse a surpris le regard de son frère et en est un peu meurtri. Il contemple sa compagne. Des souvenirs lui reviennent. Tout au début de leur amour. L'été était très beau. Ah ! ces brumes roses des matins de juillet ! Ils allaient à la découverte de tous les jolis coins des environs de Paris. Ils se mêlaient aux départs des gares de banlieue pleines de toilettes claires, déjeunaient dans les guinguettes, canotaient gaiement sur la Seine. Les prés en fleurs, les blés en épis, tout cela les étourdissait. Un jour, il avait voulu lui faire connaître les Vaux-de-Cernay.

— Non, non. Il y a trop de peintres là-bas. Les artistes sont tous des détraqués. Ils m'ont fait beaucoup de mal.

— De mal ? Pourtant l'art, c'est beau. Rien de tel pour élargir la vie.

— Vois-tu, ce qui est beau, c'est d'avoir vingt ans et de bien s'aimer.

Vingt ans ! On ne lui eût pas donné davantage. Elle s'amusait toujours de tout.

Un jour, dans la vallée de Chevreuse, ils n'avaient pas trouvé de chambre. Il était tard. Le village le plus proche était à une lieue de forêt. On leur avait proposé un lit de sangle au bout d'une grange où dormaient des maçons.

— Allons-y, avait dit Marie, ça me rappellera l'époque où j'étais si pauvre.

Ils s'étaient glissés à tâtons entre les lits occupés dans la grande salle où fumait une veilleuse. Toute la nuit, serrés l'un contre l'autre, ils étouffaient leurs baisers et leurs rires en entendant ronfler leurs voisins.

Au petit jour, les ouvriers s'étaient réveillés sans se douter qu'ils avaient dormi près d'une si jolie fille. Marie s'était levée peu après.

— Où vas-tu ?

— Reste là. Je reviens, avait-elle répondu.

Elle était rentrée au bout d'un moment, avec un bouquet de fleurs des champs inondées de rosée. Jamais elle ne lui avait paru si belle qu'à ce moment-là, riant dans le petit jour, les yeux pleins d'amour.

Ils étaient restés quelque temps dans la vallée de Chevreuse. Près d'elle, il avait mis au point le manuscrit des *Amoureuses* qu'il lui avait dédié.

Et puis, il l'avait suivie dans tous les bouis-bouis où elle faisait du théâtre. Elle jouait à Grenelle, à Sèvres, à Sceaux, à Saint-Cloud. Pour aller d'un pays à l'autre, ils s'entassaient dans un vieil omnibus, traîné par un cheval phtisique. En route, tout le monde chantait ou repassait son rôle.

Il la surveillait sans cesse. Cette crainte de la perdre faisait partie de son amour. Quand elle s'adressait à un autre comédien, il devenait pâle.

En scène, elle portait des robes dc velours rouge. Elle n'avait pas un grand talent mais de jolis bras qui éblouissaient le public. Les titis émerveillés l'applaudissaient en criant : « C'est une duchesse ! »

Le spectacle fini, ils remontaient en voiture pour rentrer à Paris. Il la cherchait dans l'ombre avec ses genoux.

V

Le mercredi, jour du conseil des ministres, Alphonse monte dans la victoria présidentielle aux côtés de Morny. Elle les emporte tous deux vers les Tuileries. Le duc, qui pense à tout autre chose qu'à la politique, dit à son secrétaire :

— C'est singulier. Les musiciens se plaignent qu'ils ne trouvent pas de motifs, que tout a été dit avant eux. Eh bien moi, ce sont les motifs qui me poursuivent. Ils me traversent la tête comme des hirondelles. Il m'en vient ! Pas le temps de les écrire tous. Ecoutez celui-ci.

Il se met à siffler brusquement un air.

— Comment trouvez-vous cela ? Vous devriez me faire là-dessus une petite chanson nègre.

Alphonse a du mal à garder son sérieux. Il répond quand même, tandis que la voiture traverse le pont du Carrousel.

— Je vous promets, Monseigneur, de vous écrire ces couplets pour demain.

Il rêve encore, Alphonse, dans cette victoria qui arrive bientôt près du palais des Tuileries. Il regarde Paris si majestueux ce matin. Les rues s'animent au passage des porteuses de pain en tablier bleu, des fiacres avec leurs cochers à gilets rouges et à chapeaux de cuir bouilli. Des breaks se croisent au grand trot. Plus loin, il aperçoit des dragons de l'Impératrice. Juste un peu de brume sur les jardins du Carrousel.

En descendant de la victoria, il aperçoit Ernest L'Epine qui vient au-devant de lui. Tous les deux ne sont préoccupés que par la pièce qu'ils ont presque terminée.

— Je pense pouvoir faire jouer *La Dernière idole* à l'Odéon. Un acte en prose est assez facile à caser. Si cela marche, je m'occuperai de la mise en scène et suivrai les répétitions.

Alphonse est éberlué. Il va finir par croire à sa chance.

Le lendemain, de bonne heure, il demande à être reçu par le duc de Morny. Une foule de hauts personnages emplit l'antichambre. Chacun attend son tour d'audience, mais l'un des huissiers le fait entrer tout de suite en priorité.

— Alors, mon ami, et cette chanson ? demande Morny.

— Elle est prête, Monseigneur. Je viens de l'achever.

Un autre huissier vient les interrompre. Il annonce l'arrivée du préfet de police Boitelle.

— C'est bon ; je le verrai tout à l'heure, dit le duc.

Il regarde Alphonse et insiste :

— Alors, cette chanson ?

Rouge de confusion, le jeune homme se met à lire ce texte dont il a un peu honte. Il l'a écrit dans la nuit avec un Nîmois de ses amis, Ferdinand Poise, qui en a arrangé la musique.

Bon p'tit nèg' du Congo
A deux amours dans l'âme.
Il aime bien p'tit' femme,
Il aime bien p'tit gigot.
Tsim boum !
Tsim boum là !

La porte du cabinet s'ouvre de nouveau.

— M. de Persigny, ministre de l'Intérieur, annonce encore l'huissier.

— Tout à l'heure ! répond Morny agacé. Continuez...
Alphonse poursuit, imperturbable :

Avoir femme, c'est joli
Mais c'est bien bon la viande.
Bon p'tit nèg' se demande
Ce qui vaut mieux pour lui
Tsim boum !
Tsim boum là !

Morny se frotte les mains.

— Excellent. Jouez-moi donc cet air !

Alphonse pianote très mal. Morny se met lui-même à califourchon sur une chaise. Bientôt, ils chantent tous les deux :

Bon p'tit nèg' du Congo
Tsim boum !
Tsim boum là !

Pendant ce temps, les antichambres sont bourrées de solliciteurs et le ministre de l'Intérieur marche de long en large avec le préfet de police dans le petit salon chinois.

« C'est de ce jour-là qu'a commencé mon scepticisme à l'endroit des hommes d'Etat », dira plus tard Alphonse Daudet.

Il profite des loisirs que lui laisse son emploi pour beaucoup écrire. Un premier roman méridional, *Audiberte,* a paru dans *Paris-Journal* ; *Le Roman du Chaperon rouge* dans *Le Figaro* ; *L'Homme à la cervelle d'or,* une nouvelle fantastique, dans *Le Monde illustré.* Il collabore aussi à la *Revue fantaisiste* que vient de créer Catulle Mendès. A la fois bohème et mondain, il fréquente toujours les brasseries mais de plus en plus les salons. Il continue à mener une vie dissipée : brèves amours de banlieue, escapades dans les bois de Meudon. Il a beaucoup de succès auprès des femmes. Aucune ne lui résiste. Mais il revient vers Marie qui ne le lâche pas.

Quelques mois plus tard, il quitte le passage des Douze-Maisons, décidément trop bruyant, et va habiter avec elle 24 rue d'Amsterdam. Trois pièces et un grand salon. Il a décrit cet appartement dans *Sapho*.

« ... Des pièces en enfilade qui ouvraient — la cuisine et la salle sur une arrière-cour moisie où montaient d'une taverne anglaise des odeurs de rinçure et de chlore — la chambre sur la rue en pente et bruyante, secouées jour et nuit aux cahots des fourgons, camions, fiacres, omnibus, aux sifflets d'arrivée et de départ, tout le vacarme de la gare de l'Ouest, développant en face ses toitures en vitrage couleur d'eau sale. L'avantage, c'était de savoir le train à sa porte, et Saint-Cloud, Ville-d'Avray, Saint-Germain, les vertes stations des bords de la Seine, presque sous leur terrasse. »

Dès qu'ils ont un moment, ils s'embarquent dans les trains de banlieue. Marie est jolie et fraîche. Près d'elle, il est heureux. Elle rit sous son ombrelle, elle chante à l'arrière d'une yole à Bougival, elle pleure parce qu'il a regardé une autre fille. Il est étrangement attaché à cette femme qui l'adore. C'est à la fois sa drogue et son poison.

— Crois-tu que ça se retrouve deux fois d'être aimé comme je t'aime ? lui demande-t-elle.

Elle est bouleversante avec son regard pathétique, cette manière lascive de se comporter. Un mélange d'ingénuité et de perversité. Une beauté touchante qui l'émeut et l'ensorcelle. Femme fatale dans le vrai sens du mot. Marie-Sapho.

Quand il entre dans son bureau le lendemain, il remarque que le visage d'Ernest L'Epine est radieux.

— J'ai réussi. Notre pièce va être jouée à l'Odéon comme je l'espérais. Elle vient d'y être reçue. Les répétitions doivent bientôt commencer. Nous aurons comme interprètes Mlle Rousseil, une jolie débutante, et Tisserant, un excellent acteur. Le duc et la duchesse de Morny assisteront à la première. Ils me l'ont promis. Et peut-être, l'Empereur et l'Impératrice.

Alphonse rêve encore. L'Odéon ! Il se revoit, marchant sous les galeries, quelques mois plus tôt, fouillant les boîtes des bouquinistes, bavardant avec eux. Il était maigre et mal habillé, pauvre et triste, la tête encore pleine des mauvais souvenirs du collège d'Alès. L'Odéon ! Il déjeunait pour presque rien dans une crémerie de la rue Corneille, juste à côté.

— Trois de café ! commandait alors Ernest.

A cette heure matinale, il n'y avait rien d'autre que du moka à trois sous la cafetière. Il revoit la petite salle nue et blanche de cette crémerie, la table sans nappe. Il se jetait sur les petits pains, mourant de faim. L'Odéon ! C'est à côté aussi qu'il avait rencontré plus tard Jules Tardieu, le libraire qui allait éditer ses premiers vers. L'Odéon ! Bientôt il y sera joué. Il pense à une tirade de la pièce qu'il a eu bien du mal à écrire : « Nous avons tous un petit temple où nous abritons religieusement toutes nos idoles, croyances, rêves, affections. Elles sont là, debout, en équilibre, chacune sur son piédestal... » C'est Ambroyx, un vieux Tourangeau, qui la dira à Gertrude, sa femme, beaucoup plus jeune que lui, lorsqu'il découvrira une trahison passée.

Mais à ce moment où tout semble lui réussir, Alphonse a brusquement des ennuis de santé. Il consulte le docteur Marchal, le propre médecin du duc de Morny. Celuici l'adresse au docteur Ricord, plus qualifié que lui pour le soigner. C'est l'homme charmant, courtois et distingué qui l'avait pris pour un prince valaque et voulait à tout prix le reconduire dans sa voiture afin de parler avec lui de la Valachie ! Aujourd'hui, ce brave homme lui annonce une terrible nouvelle. Aucun doute. Il est atteint d'une maladie vénérienne. La lectrice de la Cour qui lui a donné sa chance en faisant lire ses poèmes à l'Impératrice lui a laissé aussi ce très mauvais souvenir.

Il est accablé par ce drame. Juste au moment où la vie commençait à lui sourire ! Il pensait avoir conjuré le mauvais sort, pris depuis quelque temps une revanche sur les années noires. Pour lui qui est ultra-sensible, c'est un coup épouvantable. Bien sûr, il a vécu souvent avec une sensualité effrénée, mais c'était un péché de jeunesse qui ne méritait pas pareil châtiment.

« Vous voulez des détails, écrit-il à un ami, vous en aurez : on m'a brûlé trois fois la gorge et les gencives, je bois du mercure doublé d'ammoniaque pour le rendre plus violent, ce qui n'empêche pas l'irruption de continuer. J'ai à cette heure un emplâtre immense de mercure sur le dos et les reins. J'avale du mercure et de l'ammoniaque trois fois par jour, plus de six fois des gargarismes au mercure, un vrai traitement de cheval qui n'empêche pas le mal de progresser davantage chaque matin. »

Il confiera plus tard à Edmond de Goncourt qui le rapportera dans son *Journal* : « J'ai attrapé la vérole avec une dame de haute volée, une vérole épouvantable avec bubons et tout et je l'ai donnée à ma maîtresse. »

Comme il ne peut avouer la vraie nature de son mal à ses supérieurs, il parle de lésion au poumon. Le duc de Morny, qui, en effet, ne lui trouve pas bonne mine, lui conseille un séjour au soleil. On le soigne énergiquement. Et en même temps Marie, qu'il a contaminée. Elle ne lui en veut même pas. Elle l'aime tellement. Elle est désespérée en apprenant qu'il va partir trois mois à Nice. Ce sont des adieux déchirants.

VI

— Je suis une cigale à demi gelée, mais le bon soleil va me faire revivre et chanter, dit Alphonse en s'arrêtant à Nîmes.

Sa mère et Anna, sa jeune sœur, sont effrayées par sa pâleur et l'expression douloureuse de son visage.

Il va rendre visite aussi à son cousin Reynaud qui le trouve également bien fatigué. Cet homme de quarante ans a toujours été fasciné par le destin d'Alphonse, parti un jour de sa province, devenu rapidement le secrétaire du duc de Morny et évoluant sous le soleil des lustres impériaux. Mais il est étonné par son air las.

— Tu fais vraiment peine à voir, lui dit-il. La vie de Paris ne te réussit pas.

Alphonse ne raconte à personne les détails du traitement de choc qu'on lui a administré avant de partir. Il parle toujours de maladie pulmonaire. Il pense que c'est plus rassurant.

Ce cousin Reynaud est un personnage assez singulier. Il habite à Montfrin, à vingt kilomètres de Nîmes. C'est un petit rentier à l'aise, qui vit séparé de sa femme. Il a toujours eu du goût pour l'aventure dans les pays lointains mais n'a jamais eu la chance de la rencontrer. Il s'est fait une raison. Il cultive des tulipes en rêvant de chasse aux lions. Il adore les récits d'évasion. Il a lu tout Fenimore Cooper et se promène avec un poignard à la ceinture. Dans un coin de son bureau, il y a un carquois rempli de flèches dont certaines sont, paraît-il, empoisonnées. Lorsque la fameuse ménagerie Pezon s'arrête à Nîmes, sur la place des Arènes, il passe des heures devant les cages des fauves et les contemple, fasciné. C'est un aventurier en pantoufles, qui a toujours rongé son frein.

Quand Alphonse lui annonce son prochain départ pour Nice, c'est pour lui comme un grand mirage, une surprenante éclaircie, Son ciel se déchire. Brusquement, une idée lui vient :

— Pourquoi n'irions-nous pas plutôt en Algérie tous les deux ?

— En Algérie ! Tu n'y penses pas ! C'est très loin. Et puis que faire là-bas ?

— Tu as trois mois de vacances. Tu es le secrétaire du duc de Morny. Nous serions bien reçus partout.

Alphonse sourit devant cette idée saugrenue. Il est malade, fatigué et a surtout besoin de repos. Mais l'autre insiste, sautille d'énervement. L'Afrique, pour lui, c'est un vieux rêve. Il ne pensait jamais parvenir à le réaliser et maintenant, tout lui semble possible. Seul, il n'y serait jamais allé. Mais si son jeune cousin l'accompagnait, tout changerait. Il ne parle plus que de cela. Il devient fou. La magie du désert l'obsède depuis si longtemps. Et la chasse aux fauves donc ! Alphonse finit par se laisser convaincre. Après tout, un tel voyage le distraira de ses tourments.

Tout s'accélère. Quelques jours de préparatifs et les voici à Marseille où ils embarquent sur le *Zouave*, un beau paquebot. La traversée est assez rude. Le cousin Reynaud a le mal de mer mais Alphonse tient le coup. Il regarde ce gros garçon naïf qui l'accompagne et déjà, il prend des notes. Qui sait, un jour, ça pourra servir. En acceptant la proposition du cousin, il avait une arrière-pensée.

Avant de partir, Reynaud le magnifique a acheté à Marseille un équipement d'explorateur. Il sera superbe en débarquant avec ses bottes en cuir de Russie et sa tenue de toile blanche. Un vrai chasseur de fauves. Il trimbale avec lui une caisse pleine d'armes et de cartouches.

— Nous allons explorer l'Atlas, nous pousserons jusqu'au Sahara, dit-il d'un ton très décidé.

Ce qui n'était en somme qu'une galéjade tourne bientôt pour Alphonse en cauchemar. Il se sent de plus en plus fatigué. Avant de quitter Paris, le médecin lui a prescrit d'absorber la plus grande quantité possible d'huile de foie de morue. Ce traitement lui met le cœur au bord des lèvres. Surtout avec tout ce tangage.

La traversée dure trois jours. En débarquant à Alger, ils vont loger à l'*Hôtel de l'Europe*, aussi blanc que le reste de la ville. Ils font une brève toilette, écarquillant les yeux. Le soleil est au zénith. L'enthousiasme de Reynaud aussi. En descendant de sa chambre, il arbore une magnifique chéchia rouge. Mais il est très vite déçu par Alger. Ce n'est pas la ville exotique et inquiétante qu'il imaginait. Il y a trop de monde et les gens y paraissent trop civilisés. Ils font quand même le tour des mosquées et des cafés maures. Reynaud entraîne Alphonse dans une de ces maisons spéciales où des « almées » offrent aux amateurs le spectacle des danses indigènes. Alphonse se méfie à présent des femmes inconnues. On le comprend.

— Mais où est-elle donc la magie du désert ? demande Reynaud.

— Plus au sud, lui répond-on.

Et ils s'embarquent à dos d'âne, de mulet, de dromadaire. Reynaud n'est pas venu dans ce pays pour flâner dans les souks, bavarder avec des colons. Son exubérance, son bagout, sa faconde, fatiguent un peu Alphonse qui a vraiment du mal à le suivre.

« Fidèle comme le chameau, je le suivais dans son rêve héroïque ; mais par instants, je doutais un peu ; je me rappelle qu'un soir, à l'oued Fodda, pendant un affût au lion et traversant un camp de chasseurs d'Afrique avec tout notre accoutrement de houseaux, de fusils, revolvers, couteaux de chasse, j'eus la sensation aiguë du ridicule... Et s'il n'y avait pas de lion ! »

— Il faut aller plus au sud pour en voir, leur disent

les braves troupiers qui préparent leur soupe sur le front de tentes alignées.

En deux mois, suivant ce conseil, ils vont traverser le Sahel, la vallée du Chelif, mais sans jamais trouver de fauves. Partout on leur répète :

— Plus au sud. Plus au sud.

Alphonse, sur sa mule, c'est un peu Sancho Pança près de Don Quichotte. Il est secoué par les cahots du chemin sous le soleil implacable. Dire qu'il est venu ici pour se reposer et reprendre des forces ! Il est parfois un peu mélancolique et songe au petit appartement de la rue d'Amsterdam où l'attend Marie...

Dix-huit mois plus tôt, l'Empereur et l'Impératrice ont accompli sur ce même parcours un voyage d'apparat. Alphonse, secrétaire du duc de Morny, est en effet très bien reçu. Et le cousin Reynaud bombe le torse lorsqu'ils font halte dans les douars où ils sont accueillis par les officiers.

Un soir, sous la tente, dans la plaine du Chelif, Alphonse rêve passionnément à sa chère *Dernière idole.* On fume des cigares tout en buvant du café maure dans des tasses minuscules. Tout à coup, un grand brouhaha. Les chiens aboient. Les serviteurs courent, un spahi en burnous rouge arrête son cheval devant la tente.

— Sidi Daoudi ?

Alphonse sursaute. C'est une dépêche de Paris qui le poursuit de douar en douar depuis plusieurs jours. Il l'ouvre fébrilement. Elle contient ces simples mots : « Pièce jouée hier, grand succès, Rousseil et Tisserant magnifiques. »

C'est Ernest, le frère dévoué et attentionné qui le tient au courant de la première de sa pièce à l'Odéon. Il relit vingt fois ce télégramme comme une lettre d'amour. Autour de lui ses hôtes, sans comprendre le motif de sa joie, sourient d'attendrissement.

Immédiatement, il pense à ce Paris qu'il n'a pas oublié et à Marie Rieu. Que fait-elle pendant son absence ? Il songe brusquement à rentrer en France. Malgré l'immense déception du cousin Reynaud qui n'a toujours pas vu de lion, il décide de rebrousser chemin.

Par bonheur, sur la route du retour, il aura la chance d'en rencontrer un, à Milianah très exactement. Mais c'est un pauvre animal aveugle et apprivoisé, promené par deux Noirs qui l'accompagnent, la sébille à la main.

Paris. Marie. Sa pièce jouée à l'Odéon. Alphonse a retrouvé de bonnes couleurs. Il revient les yeux remplis d'images. Le dépaysement lui a fait du bien. Il a noirci des carnets de notes. Il lit les critiques, apprend que le duc et la duchesse de Morny ont assisté à la première de sa comédie.

« Le climat de l'Afrique est excellent sans doute ; mais le vent qui soufflait de l'Odéon, le soir du 4 janvier, est plus salutaire encore : il fera des miracles et nous rendra bientôt, guéri et radieux, notre cher malade », écrit le critique du *Figaro*.

Il a raison. Avec Marie retrouvée, Alphonse court au théâtre assister à une représentation de sa pièce. Il crie, plein d'enthousiasme :

— Cocher, à l'Odéon !

C'est mardi gras. La salle est remplie d'étudiants et d'étudiantes costumés pour le bal.

« On dansait toute la nuit à Bullier et pas mal d'étudiants étaient venus passer deux heures au théâtre en costume de bal masqué. Il y avait des folies, des polichinelles, des Pierrettes et des Pierrots. "Dur, très dur, pensai-je dans mon coin, de faire pleurer des polichinelles !" Ils pleurèrent pourtant, ils pleurèrent si fort que les paillettes de leur bosse où la lumière s'accrochait semblaient autant de larmes brillantes. »

Il serre la main de Marie. Elle est bouleversée par ce succès. Elle n'a pas voulu voir la pièce sans lui. Il dit encore :

« Il me semblait que tout ce public de carnaval se raillait de moi, devait me connaître. Suant, souffrant, perdant la tête, je doublais les gestes des acteurs. J'aurais voulu les faire marcher plus vite, parler plus vite, brûler phrases et planches, pour que mon supplice fût plus vite fini. Quel soulagement, la toile tombée, et que je m'enfuis vite, rasant les murs, le collet relevé, honteux et furtif comme un voleur ! »

Mais cette déclaration est un peu littéraire. Ça fait bien de bouder son plaisir ! Allons, il est fou de joie. Paris aussi est fou, ce soir de carnaval. A la sortie du théâtre, les rues sont pleines de Pierrots et de Colombines. On chante. On danse. On lance des serpentins et des confettis. Alphonse et Marie se mêlent bientôt à la foule joyeuse. On les prend par la main. Ils entrent dans la ronde. Ils ont vingt ans, eux aussi.

Ils sautent dans un fiacre et vont au bal Bullier, paradis des grisettes et des calicots, place de l'Observatoire. Appelé le Prado d'Eté, puis la Closerie des Lilas, c'est le haut lieu des galops endiablés, cette danse au rythme vif d'origine hongroise, des tendres galipettes. Ce soir, la salle est comble. La foule est agglutinée autour des musiciens. Toutes les femmes se ressemblent, drapées dans leurs dominos, ces capes qui les recouvrent entièrement. Les dames « comme il faut » et les gandins se joignent à la foule des lorettes et des rapins. Alphonse respire le parfum flétri des roses qu'effeuille la vie de plaisir de la fête impériale.

VII

Après ces trois mois de congé, il retrouve sans déplaisir son poste au Palais-Bourbon. Ernest L'Epine lui fait fête et lui donne en vrac toutes les nouvelles :

— Un journal a écrit que notre pièce était l'événement de la saison. Bigre ! Je n'ai malheureusement pu assister à la première car j'étais souffrant. Dans les jours qui ont suivi, le couple impérial est venu l'applaudir. Quelle référence !

Et il ajoute :

— Je voudrais que nous écrivions ensemble une autre comédie en un acte. J'en ai déjà trouvé le titre et le sujet : *Les Absents.*

Une heure plus tard, le duc de Morny fait venir Alphonse dans son grand bureau. Il le complimente pour sa bonne mine.

— Rien de tel que les pays chauds pour recouvrer la santé ! J'ai beaucoup aimé votre pièce. Dans le rôle principal, le vieux Tisserant était admirable. Quant à la petite Rousseil, elle fait là de brillants débuts. Elle est bien jolie. Ma femme a tellement battu des mains qu'elle en a brisé son éventail. C'est signe que votre pièce lui a plu.

Alphonse, qui connaît bien la ravissante duchesse de Morny qu'on appelle dans la coulisse « la princesse des neiges », est très flatté.

Il a retrouvé aussi son logement de la rue d'Amsterdam. Le bruit de Paris après la paix des sables, la pluie persistante après la divine chaleur, la voix aigre de Marie après le silence du désert.

Ils montent leur ménage avec des cris de joie et des rires fous. Il rêve peut-être secrètement d'une vie bourgeoise. C'est amusant, après le bureau, de faire des courses, serrés aux bras l'un de l'autre. Ils entrent dans les boutiques, choisissent des rideaux de cretonne à fleurs. Marie regarde tout, essaie les chaises, fait glisser les battants d'une table, marchande. Ils achètent une batterie de cuisine complète, deux douzaines d'assiettes en faïence anglaise et chez un brocanteur, un huilier ancien.

En quittant son travail, il rentre vite, pressé d'arriver. Dès son coup de sonnette, elle se précipite, soignée, coquette. Une robe de laine noire très unie, taillée sur un patron de bon faiseur, les manches retroussées, un grand tablier blanc car elle fait elle-même la cuisine.

Près des braises du feu mourant, il la contemple. Amoureux ? Non, mais reconnaissant de l'amour qu'elle lui témoigne. Est-ce que sa vie n'est pas plus saine à présent ? Marie apprend aussi des rôles qu'elle ne joue plus. Ses jolies robes de scène sont là, pendues avec leurs couleurs voyantes et leurs grands plis soyeux. D'un bout à l'autre de l'appartement, il entend ses cris quand elle répète un texte :

— Par ici, Gaspard ! Dites-moi son nom, miséra-a-ble !

Pourquoi faut-il qu'un jour il rencontre, rue Royale, deux anciens camarades de la *Brasserie des Martyrs* qui le happent et le font asseoir presque de force à leur table, à la terrasse d'un café ? Alphonse regarde le public de provinciaux autour d'eux, en jaquettes rayées et chapeaux ronds. Ses camarades commandent pour lui une absinthe.

— Tu n'as pas perdu tes bonnes habitudes, au moins ? Mais alors, c'est la gloire ? Nous avons lu tes contes dans *Le Figaro*. On parle aussi d'une de tes pièces qui est représentée à l'Odéon. Tu en as fait du chemin !

Il sourit rêveusement. Ses amis le questionnent.

— Et Marie Rieu ? Qu'est-elle devenue ? La vois-tu toujours ?

Il ne répond pas.

— Tu n'es donc plus avec elle ?

Il est brusquement gêné de parler d'elle avec ces garçons. Des années ont passé. Ils lui font des confidences.

— Quand tu l'as connue, elle avait eu bien des amants, tu sais. La Gournerie par exemple. On ne te l'avait pas dit à l'époque. Tu étais si jeune, si naïf. On craignait que tu sois déçu.

Il accuse le coup.

— La Gournerie ? dit-il étonné.

— Oui, il l'avait sortie du ruisseau et ramassée une nuit devant le bal Ragache. Leurs trois ans de ménage, ça a été l'enfer. Ce poète aux airs câlins était méchant comme une teigne. Elle le suivait partout, l'attendait, couchée en travers de son paillasson.

Alphonse regarde son ancien camarade qui poursuit :

— Elle en a eu bien d'autres, tu sais ! Quelle chose atroce que ces ruptures ! On a vécu des années ensemble, dormi l'un contre l'autre, mélangeant ses rêves et puis brusquement, on se quitte. Cette fille, quand elle aime, elle se cramponne. Elle a toujours eu le goût de la vie à deux. Mais elle n'a pas eu de chance. Elle s'était mise avec Dejoie, le romancier. Il meurt. Elle passe à Flamant, le graveur. Il se marie. Oh ! les artistes ! Elle en a toujours eu une peur !

Il ne peut en entendre davantage. Une brûlure lui tord la poitrine. Il traverse la chaussée en chancelant presque. Des cochers l'invectivent. Il se vengera un jour de ce qu'il endure à cette minute, en écrivant *Sapho.*

Il ne voit plus Marie avec les mêmes yeux. Il ne s'était jamais fait beaucoup d'illusions sur son passé, mais quand même... Pour oublier, il se jette dans le travail littéraire.

Son voyage en Algérie lui inspire plusieurs récits qui

paraissent en trois numéros du *Monde illustré* sous le titre *Promenades en Afrique.* Plus tard, *Le Figaro* offre à ses lecteurs *Chapatin, le tueur de lions*, où se trouvent racontées les mésaventures d'un personnage qui ressemble fort à son cousin Reynaud, ce doux dingue. Il a décidé de rire de cette mémorable équipée. A cette époque, le sud de la France est une cible pour la littérature humoristique. A Paris, on se moque volontiers de l'accent méridional. On représente l'homme du Midi comme un beau parleur, un vantard, un hâbleur. Chapatin, ancêtre de Tartarin, devient un type. Pour évoquer les paysages d'Algérie, Alphonse Daudet se laisse guider par son goût pour les images lumineuses.

Mais dans cette satire, les Nîmois ont reconnu du premier coup leur concitoyen Reynaud. Celui-ci ne pardonnera jamais à son cousin de l'avoir tourné en ridicule. Le portrait est hurlant de vérité. Il a généralement bon caractère, aime bien les galéjades, mais cette fois, c'en est trop. Il se trouve offensé.

Un peu plus tard, paraît une nouvelle édition des *Amoureuses.* Alphonse en est très satisfait. C'est bon signe ! Mais il a fait supprimer le nom de Marie Rieu sur la page de garde ! A présent, il lui en veut de ce qu'il a appris sur son passé. Il envoie à l'Impératrice un exemplaire sur papier rose de son recueil :

« Madame,

« Votre Majesté a bien voulu manifester son approbation en entendant aux Tuileries quelques vers de moi. Cette marque de bienveillance a été pour moi un très précieux encouragement et je pense que votre Majesté me pardonnera la liberté que je prends de lui adresser ces vers qui ont fixé son attention un instant. »

« Fantastique employé à la crinière mérovingienne, se définit Alphonse Daudet ; toujours le dernier venu au bureau, le premier parti, et ne montant jamais chez le duc que pour lui demander des congés. »

L'hiver suivant, il décide de se rendre en Corse. Le

docteur Ricord, qui le soigne toujours énergiquement, mais avec les faibles moyens de la médecine de l'époque, a insisté pour qu'il fasse encore un séjour dans les pays chauds.

Il se rend d'abord à Ajaccio où il arrive en même temps que l'escadre. La ville est pleine de matelots en bordée et les prostituées courent les rues. Ce n'est pas un lieu de repos idéal.

Il finit par s'installer dans un coin perdu, le phare des Sanguinaires, à l'entrée du golfe. Il obtient l'autorisation de vivre dans les dépendances, prenant ses repas avec les gardiens. Il fait là une cure de grand air, de soleil, de méditation et lit Plutarque.

Il se rend aussi dans le détroit de Bonifacio où, neuf ans plus tôt, a eu lieu un drame horrible. La frégate *Sémillante*, transportant des troupes en Crimée, s'y est perdue, corps et biens, avec six cents hommes.

Il voit aussi pendant ce séjour la Course toute secouée par l'approche des élections générales du Corps législatif. Le docteur Bartoli, un farouche républicain, s'oppose au candidat bonapartiste Abbatuci. Aux yeux du gouvernement, il est inadmissible qu'un opposant soit élu dans le berceau de la dynastie napoléonienne. Fraudes, corruption, intimidation jouent un grand rôle dans cette affaire. Et le jeune secrétaire du duc de Morny a l'occasion de vérifier sur place la réalité des pressions dénoncées par l'opposition libérale.

Il prend encore des notes pour son œuvre future. Il écoute les histoires qu'on lui raconte. Depuis longtemps, il a décidé qu'il vivrait la vie des autres. Déjà à Lyon, tout enfant, il choisissait un passant, se mettait à le suivre, s'identifiait à son existence.

Au retour, il se rend chez ses cousins Ambroy à Fontvieille. Il revoit la petite colline où se dressent plusieurs moulins à vent, puis la vieille maison blanche qui commence en château pour finir en mas. Son ami Timoléon l'accueille avec son bon sourire.

— Mon cher Tim, dit Alphonse, je parie dix-huit cent mille francs que vous avez dit déjà plus de vingt fois avec un petit air goguenard : « Le Parisien, le farceur, cet oublieux, j'en étais bien sûr ; ils sont tous les mêmes, de belles paroles, beaucoup de cervelle et pas un liard de mémoire. » Eh bien non, mon cher cousin, ni blagueur, ni oublieux, le Parisien que vous avez si loyalement, si fraternellement hébergé ! Il se souvient, je vous le jure, et au milieu des gros soucis dont la vie est pleine, il y a bien souvent une pensée pour Montoban et ses bien-aimés propriétaires. Oh ! les bons souvenirs ! et quel charme on éprouve à se rappeler le soleil et les poules, et les paons, et les pins, et les moulins à vent quand on patauge soir et matin dans les sales boues parisiennes, au milieu de faux amis, de dettes, d'ennuis de toutes sortes, ne dormant que d'un œil, ne travaillant qu'à demi, toujours enfiévré, jamais paisible...

Avec quelle joie Alphonse retrouve ses amis et leur vieille mère, serrée dans son châle à carreaux. Le Consul, le Notaire, l'Avocat sont là devant le mas enrubanné de fleurs. Il leur parle en provençal pendant des heures. Le moulin est devenu son refuge, son île déserte. Dans la brume bleutée, il entend M. Seguin rappeler sa chèvre, il voit le père Gaucher cueillir des herbes pour son élixir.

Il peut aussi aller surprendre Mistral chez lui. Fontvieille n'est séparée de Maillane que par la crête dentelée des Alpilles. Il surprend le poète dans sa fraîche maison, composant des vers en marchant. Mistral vient d'achever sa dernière œuvre, *Calendal*, et la déclame à son ami, tout vibrant d'un fou lyrisme.

C'est l'histoire d'un pêcheur de Cassis qui, pour gagner l'amour de sa belle, s'est mis en tête de devenir riche et puissant. Dans la langue magnifique de Mistral, cet humble sujet devient le poème de la Provence tout entière avec son génie, ses paysages, ses mœurs.

— C'est un pur chef-d'œuvre, égal à *Mireille*, dit Alphonse les larmes aux yeux, touché au cœur.

VIII

De son grand balcon de la rue d'Amsterdam, Marie Rieu ne rêvera plus aux folles escapades en banlieue. Elle s'installe à Bures, dans la vallée de Chevreuse, tandis qu'Alphonse déménage une fois de plus pour aller habiter rue de l'Université. C'est toujours un amour en dents de scie. Il ira la voir quand il ne sera pas pris par d'autres maîtresses.

Pour l'instant, il a bien des soucis. Son père vient de subir à Paris un nouveau désastre commercial. Un magasin qu'il avait installé boulevard de Sébastopol a été incendié. Vincent Daudet est vieux, presque impotent. Ses deux fils le persuadent de cesser toute activité. Ils subviendront à ses besoins. Avec sa femme Adeline et sa fille Anna, il ira loger rue Bayen, dans le quartier des Ternes.

Alphonse est alors criblé de dettes. *Les Absents*, la pièce qu'il a écrite avec Ernest L'Epine, a été refusée à la Comédie-Française. La nouvelle édition de son recueil de poèmes *Les Amoureuses* n'a eu aucun succès. Il a décidé d'abandonner la poésie, mais ne perd pas espoir et travaille à un drame, *Le Frère aîné.*

Dans les coulisses des théâtres, il a rencontré Alice Ozy, une actrice célèbre qui a été la maîtresse de Victor Hugo et de son fils Charles. Théophile Gautier a été aussi son protecteur. Elle a inspiré au peintre Théodore Chasseriau sa fameuse *Baigneuse endormie.* Ce peintre qui l'a aimée follement est mort à trente-sept ans, après avoir réalisé une œuvre considérable. L'extravagante Alice Ozy est une des seules femmes admise au club des Haschischins.

Alphonse, qui a longtemps rêvé devant cette *Baigneuse endormie* où le classicisme du dessin s'allie à la richesse du coloris romantique, est émerveillé d'être devenu l'amant de la comédienne qui a inspiré ce tableau. Et puis, succéder à Victor Hugo dans le cœur de cette jolie femme est très flatteur pour un écrivain de vingt-cinq ans ! Alice Ozy, c'est une « lionne », ce qui en patois parisien veut dire une femme à la mode, une femme élégante qu'on voit dans tous les endroits chics.

En décembre, il assiste avec elle à la première de *La Belle Hélène* aux *Variétés.* C'est un triomphe. Hortense Schneider y est superbe. Autour d'Offenbach, de Meilhac et d'Halévy, se sont groupés les seuls amis intimes dont on attend le jugement.

Dis-moi, Vénus
Quel plaisir trouves-tu
A faire ainsi cascader, cascader
Ma vertu ?

— Que ces couplets sont jolis ! chuchote Alice.

A la fin du spectacle, ils vont féliciter les auteurs aussi follement acclamés que leur merveilleuse interprète.

Morny est également présent. Il a émaillé la pièce de quelques bons mots. Offenbach lui demande en souriant :

— M. de Saint-Rémy n'a pas un nouveau livret à m'apporter ?

Le duc répond avec un sourire désabusé :

— Je crains fort, mon cher Offenbach, que M. de Saint-Rémy n'en ait pas le loisir.

Ils vont ensuite souper chez *Bignon,* l'un des meilleurs restaurants de Paris, situé boulevard des Italiens, très renommé pour ses dîners où se rencontrent artistes, romanciers à la mode et journalistes. Alice s'est entichée de ce jeune homme dont la beauté fait se retourner les passants dans la rue. Elle a beaucoup aimé son recueil de poèmes *Les Amoureuses* et sa pièce *La Dernière idole.* Elle sait qu'il est sur le chemin de la réussite. Au besoin, elle l'aidera. Elle a dix ans de plus que lui. Elle est une des reines de cette société frivole du Second Empire, prise d'un formidable appétit de plaisir. Elle est brune, sensuelle, délurée et ne boit que du champagne. Son sourire est célèbre. Elle adore danser le quadrille et tout en dînant, les airs magiques d'Offenbach qu'elle vient d'entendre lui trottent par la tête.

Elle montre à Alphonse un joyeux fêtard : le duc de Brunswick, chassé de son pays et qui se console depuis dans les restaurants de nuit parisiens.

A une table voisine, il aperçoit aussi Alexandre Dumas fils, dont *La Dame aux camélias*, transposée à la scène, a eu un énorme succès. Les malheurs de Marie Duplessis ont fait verser bien des larmes. Dumas est un auteur riche, célèbre, adulé. Tout le monde est empressé avec lui et la femme ravissante qui dîne en face de lui le regarde avec des yeux langoureux.

« Il faudrait que j'écrive une œuvre de ce genre. Une histoire qui m'est arrivée. Pourquoi n'utiliserais-je pas les souvenirs de ma jeunesse ? » pense Alphonse.

Il raccompagne Alice chez elle où elle vit dans un luxe tapageur : un salon blanc et or, des boudoirs en satin jaune, une chambre à coucher tendue de satin bleu recouvert de dentelle blanche. Un vraid nid de cocotte. Il y traîne des volants de tulle déchirés, des nœuds, des fleurs fausses. Les bougies de la psyché, en brûlant jusqu'au bout, ont fait éclater les bobèches.

Assis sur un lit de repos à la grecque, il bavarde nonchalamment avec elle en fumant une cigarette de Latakiéh. De sa belle voix chaude et chantante, il lui récite des vers.

Elle rêve, la jeune femme !
L'œil alangui, les bras pendants,
Elle rêve, elle entend son âme,
Son âme qui chante en dedans...

Elle le dévore des yeux. Elle aime son impertinence qui le rend encore plus irrésistible. Mais, sans savoir pourquoi, il est un peu anxieux ce soir. Comme si une catastrophe les menaçait.

Quelques mois plus tard, il a la joie de voir créer à l'Opéra-Comique, *Les Absents*, adapté sur une musique de son ami Ferdinand Poise. C'est un petit succès qui lui remonte le moral.

Mais le duc de Morny tombe subitement malade. Au début, dans son entourage, on a parlé d'une simple indisposition.

— Ce n'est rien, a dit le docteur Marchal.

Et l'insouciante duchesse Sophie a répété à son mari en fumant une cigarette :

— Vous vous écoutez trop !

Morny grelotte au coin du feu dans sa somptueuse robe de chambre en renard bleu. Ce dandy a trop aimé la vie et les femmes. Il a abusé des aphrodisiaques. A cinquante-six ans, il est usé par les plaisirs.

Alphonse, que ses fonctions appellent chaque jour dans la chambre du malade, voit brusquement son état empirer. Un matin, il remarque qu'un filet de sang a rougi l'oreiller.

Stoïque, Morny fait venir un ami intime, M. de Montjyon, et lui demande :

— Dis-moi la vérité. Je suis bien bas, n'est-ce pas ?

— Foutu, mon pauvre Auguste, répond l'ami.

Pendant ce temps-là, la jolie Sophie donne une réception dans son appartement et de son lit, il entend les rires et la musique. Quel manque d'élégance ! Il est choqué, lui qui en a eu tant !

Alphonse tisonne le feu et surprend le regard du malade qui vient d'apprendre la cruelle vérité sur son état.

Morny disparaîtra discrètement, en homme bien élevé, sans déranger personne. Avant de mourir, il a fait brûler par son secrétaire des paquets de lettres de femmes, des liasses de papiers compromettants.

Alphonse suivra les funérailles célébrées en grande pompe, du Palais-Bourbon au Père-Lachaise. C'est lui qui rédigera plus tard cette belle épitaphe en écrivant dans *Le Nabab* :

« Il était l'incarnation la plus brillante de l'Empire. Ce qu'on voit de loin dans un édifice, ce n'est pas sa base solide ou branlante, sa masse architecturale, c'est la flèche dorée et fine, brodée, découpée à jour, ajoutée pour la satisfaction du coup d'œil. Ce qu'on voyait de l'Empire en France et dans toute l'Europe, c'était Morny. Celui-là tombé, le monument se trouvait démantelé de toute son élégance, fendu de quelque longue et irréparable lézarde. »

Cette disparition chamboulera bien des choses. Ce sera la catastrophe de l'Empire. Morny parti, il n'y aura personne pour le remplacer efficacement.

L'Epine s'en ira vers la Cour des Comptes, Alphonse perdra son emploi et son frère Ernest deviendra bibliothécaire au Sénat. Le comte Walewski qui prend la succession de Morny est un homme qui aime peu les artistes et encore moins l'opérette. Il a aussi décidé d'accorder moins de congés à ses collaborateurs...

Alphonse reprend sa vie de bohème et passe beaucoup de temps dans les cafés. Il retourne à la *Brasserie des Martyrs*, au *Café de Madrid*, au *Café Véron*, au *Café des Variétés*. Il retrouve des camarades qu'il a un peu négligés. Il a perdu son gagne-pain.

« Je n'étais pas riche à cette époque. J'ai connu la faim, la vraie faim qui n'a pour se satisfaire qu'une botte de radis », dira-t-il.

Il noue aussi amitié avec un « pays » : Paul Arène. C'est un jeune répétiteur au collège de Vanves qui vient de débuter à l'Odéon par un petit acte étincelant d'esprit. Les deux amis s'installent bientôt avec d'autres littérateurs dans une « chaumière » de Clamart, toute proche du collège, et fondent « la Colonie de Clamart ».

Ils font de grandes marches dans les bois, ne dédaignent

pas de lutiner les filles et écrivent aussi parfois. Alphonse joue encore au bohème, feutre sur l'oreille, botté comme un tzigane. Il invite généreusement ses camarades dans les cafés du coin pour boire de l'absinthe.

C'est dans ce phalanstère qu'il écrira avec Paul Arène les premières *Lettres de mon moulin*. Ces lettres, ils les rédigent tous les deux, assis, à la même table, autour d'une unique écritoire, retrouvant ensemble le soleil de leur Provence. Paul Arène est son meilleur ami, le garçon dont il se sent le plus proche. Ils ont tant de points communs. L'amour de leur pays d'abord.

« Tout autour du village, les collines étaient couvertes de moulins à vent. De droite et de gauche, on ne voyait que des ailes qui viraient au mistral par-dessus les pins, des ribambelles de petits ânes chargés de sacs montant et dévalant le long des chemins ; et, toute la semaine, c'était plaisir d'entendre sur la hauteur le bruit des fouets, le craquement de la toile et le Dia hue ! des aides-meuniers... »

Les *Lettres de mon moulin* paraîtront dans *L'Evénement*, un journal bientôt racheté par *Le Figaro*, sous un double pseudonyme emprunté à Balzac : Marie-Gaston. C'est un grand succès. Alphonse est avant tout poète et poète du Midi, c'est-à-dire un poète qui respire la joie, non sans une pointe d'attendrissement et de reconnaissance heureuse vers la lumière. Tout est neuf, tout est chaud. Autour de lui, en lui, tout se colore, s'anime et vibre d'une vie intense. C'est aussi une innovation d'introduire le conte et la nouvelle littéraires dans la presse quotidienne.

Pendant l'été, avec un autre de ses camarades, Alfred Delvau, il fait un voyage à pied en Alsace. Delvau est un républicain farouche. Il s'est battu sur les barricades en juin 1848. Il est rude, ardent, hirsute. Ils couchent un peu partout : dans les granges, dans les bois, à la belle étoile. Quand ils logent dans une auberge, ils écrivent avec humour sur le registre, à côté de leur nom, ce titre ronflant : « ambassadeurs extraordinaires de S.M. la reine Mab, auprès des Cours et tribunaux d'Europe »...

Ils découvrent les Vosges, la plaine d'Alsace, la Forêt-Noire. De longues marches épuisantes mais ce temps-là lui semblera plus tard la meilleure époque de sa vie. Il a noté :

« Comment s'appelaient-ils, tous ces villages alsaciens que nous rencontrions, espacés au bord des routes ? Je ne me rappelle plus aucun nom maintenant mais ils se ressemblent tous tellement, surtout dans le Haut-Rhin, qu'après en avoir traversé à différentes heures, il me semble que je n'en ai vu qu'un : la grande rue, les petits vitraux encadrés de plomb, enguirlandés de houblon et de roses, les portes à claire-voie où les vieux s'appuyaient en fumant leur grosse pipe... »

Delvau, qui a beaucoup de talent, tirera de ce voyage un livre de souvenirs : *Du pont des Arts au pont de Kehl.* Il mettra aussi en scène son compagnon dans un roman à clé, *Le Grand et le Petit Trottoir*, et nous laissera de lui ce portrait : « poète aux yeux noirs et doux comme des yeux d'antilope, aux longs cheveux bouclés comme ceux de Léandre, au visage pâle et fatigué comme celui de Don Juan et pour les mêmes raisons... »

En rentrant, Alphonse travaille à une ébauche de son premier roman qu'il appelle *Daniel Eyssette* et qui deviendra plus tard *Le Petit Chose.* Une histoire d'un sentimentalisme un peu forcé comme il a décidé de le faire, le soir où il a vu Dumas fils si glorieux après le triomphe de sa *Dame aux camélias.*

« Oui, c'est bien moi ce Petit Chose, obligé de gagner sa vie à seize ans et demi, dans cet horrible métier de pion, et l'exerçant au fond d'une province, d'un pays de hauts fourneaux qui nous envoyaient de grossiers petits montagnards m'insultant dans leur patois cévenol brutal et dur. Livré à toutes les persécutions de ces monstres, entouré de cagots et de cuistres qui me méprisaient, j'ai subi là les basses humiliations du pauvre... »

Sa plume court sur le papier. Il écrit avec cette sensibilité touchante qui est la clé de son art. Il revoit Alès, la « prairie » où il emmenait ses élèves le jeudi, contemplant avec envie des guinguettes où se prélassaient les militaires et les filles. Pendant ses heures de liberté, pour oublier ses misères, il allait dans un café où se réunissaient d'obscurs comédiens.

— Francis, mon absinthe, et surtout pas d'a... ni... se... tte.

Ses élèves, ses élèves qui le haïssaient. Et Lucile, la jolie servante qui le consolait. Ah ! cette romantique châtaigneraie où il l'emmenait, quel décor ! Il exagéra peut-être ses malheurs, mais ce qu'il cherche avant tout, c'est le succès.

Ses sources d'inspiration, il les trouve dans cette nature méridionale où il vécut sa petite enfance.

IX

Paris en 1865. Du roc de Guernesey arrive, comme un grondement de tonnerre, la voix de Victor Hugo. *Le déjeuner sur l'herbe* de Manet a été refusé au Salon. L'affaire a fait tant de bruit que Napoléon III lui-même est allé voir cette toile et a donné l'ordre d'ouvrir une salle spéciale pour les œuvres exclues. Alphonse Daudet a vingt-cinq ans. Il est le plus jeune et l'un des plus brillants chroniqueurs du *Figaro*. Ses premières *Lettres de mon moulin* ont enchanté les lecteurs de *L'Evénement*. Il se mêle sans cesse à la vie du Boulevard. Pour lui, Paris est une immense province qu'il explore inlassablement. Grâce à Haussmann, une capitale neuve a surgi. Théophile Gautier, Sainte-Beuve et Delacroix fréquentent l'hôtel particulier de la Païva qui vit dans un luxe effréné. Escalier d'onyx, plafond doré de Baudry. Cora Pearl est sa rivale. Ce ne sont plus des « lionnes » mais des reines. Paris, c'est aussi la ville d'Hortense Schneider, des femmes de Winterhalter, le portraitiste en vogue. Jamais peut-être la femme n'a été si jolie, jamais la mode n'a aussi bien servi sa beauté. Les soirs de grand bal aux Tuileries, Alphonse voit les élégantes gravir le grand escalier avec leur robe à crinoline. Quel spectacle ! Dans le Paris du Second Empire, on se déguise. Le domino fait fureur. Tout le monde valse. Au *Château des Fleurs*, sur les

Champs-Elysées, à *Bullier*, au *Casino Cadet*. Alphonse va encore à *Mabille* en songeant au temps où il errait, la tête pleine de rêves fous. Les fiacres roulent. Paris est tout bruissant de grelots. Partout retentit la musique d'Offenbach. Sous les arcades de l'Odéon, il aperçoit Flaubert, marchant avec son cher ami le poète Louis Bouilhet qui lui ressemble comme un frère. Le jeune Emile Zola, qu'il ne connaît pas encore, erre lui aussi au même moment dans ce Paris. Il découvre d'autres rues, d'autres faubourgs où des gens crèvent de misère dans des logements sordides et où l'alcool est trop souvent un dérivatif à leur lamentable destin. Zola et Daudet sont nés la même année, à vingt jours d'intervalle. Ils ont débarqué à peu près à la même époque à Paris avec le même espoir de devenir célèbres. Ils vont vivre dix ans sans se rencontrer, ne fréquentant pas les mêmes camarades ni les mêmes milieux. Tout les sépare, leur tempérament comme leur façon de voir la vie et d'écrire. Ils deviendront pourtant un jour d'excellents amis.

A la fin de cet automne, Hyppolite de Villemessant, le directeur du *Figaro*, demande à Alphonse un petit service.

— Voudriez-vous m'accompagner à la Comédie-Française où, depuis plusieurs soirs, la représentation d'*Henriette Maréchal*, la pièce des frères Goncourt, est troublée par de bruyantes manifestations. Elles ne sont pas dues à la passion littéraire comme ce fut le cas pour *Hernani*, mais à des raisons politiques. On reproche aux auteurs d'être joués grâce à l'appui des Tuileries, ce qui est faux. Il faut faire taire ces perturbateurs.

Le soir même, Alphonse et son frère rejoignent Villemessant dans sa loge. La salle est archicomble et l'on sent déjà passer un étrange courant. Il leur explique :

— Cette pièce d'un grand réalisme a plu à la princesse Mathilde. Je lui ai promis d'amener dans la salle des contre-manifestants chargés d'applaudir. Vous ferez la claque.

Alphonse n'a rien à refuser à la princesse Mathilde. Ne lui devait-il pas sa situation de secrétaire auprès de Morny ?

Dans une loge voisine, le peintre Anatole de Beaulieu a réuni trois amis : Jules Allard et sa femme Léonide accompagnés de leur fille Julia. Ils sont venus eux aussi en partisans des Goncourt. Julia a vingt et un ans. Elle porte une toilette très élégante. Elle est intriguée par cette soirée pleine d'imprévus et décidée à se battre avec enthousiasme pour *Henriette Maréchal*. Comme ses parents, elle est folle de littérature, de poésie et aime bien cet Edmond de Goncourt que les autres veulent malmener. Pendant l'entracte, elle demande à son père :

— Qui est donc ce garçon, à gauche, qui joint sans cesse ses applaudissements aux nôtres ? Son regard est inoubliable. Quel beau front de poète !

Le peintre Beaulieu lui explique :

— C'est un jeune écrivain assez doué, l'auteur de ces *Lettres de mon moulin* dont on parle beaucoup. Il vit depuis des années dans la bohème et ne fera jamais rien. C'est dommage !

Après l'entracte, les perturbateurs font un bruit terrible. Malgré toute leur ardeur, les amis de la princesse Mathilde ne peuvent sauver la représentation. Julia semble accablée.

Alphonse a remarqué cette jeune fille aussi déchaînée que lui.

— Elle est vraiment jolie, dit-il à son frère. Quelle intelligence, quelle volonté sur ses traits ! Qui peut-elle être ? Une Italienne, une Française ? Ce sourire boudeur...

Ernest lui apprend qu'elle est la fille d'un certain Jules Allard, un industriel du Marais.

— Je connais cette famille, ajoute-t-il. A Ville-d'Avray, j'ai comme voisin un de leurs parents.

Alphonse reste émerveillé par les yeux magnifiques de la jeune fille.

Les deux frères font quelques pas sur le Boulevard où s'agite la foule joyeuse des grands soirs dans la lumière des cafés, le froufrou des robes, le roulement des voitures et le trot des chevaux sur le macadam. Cette nuit-là, Alphonse ne songe qu'à cette jeune fille si charmante, à l'air si décidé.

Il la reverra quelques semaines plus tard au moment où une épidémie de choléra terrifie Paris. Il va alors passer quelques jours chez son frère à Ville-d'Avray. Un soir, les cousins qui habitent dans le voisinage viennent dîner, accompagnés de la charmante Julia. Ce n'est pas un hasard. Ernest a un peu organisé cette rencontre. Il a sauté sur l'occasion. Il en a tellement assez de voir son frère traîner dans les brasseries et gâcher sa carrière. S'il pouvait enfin se stabiliser et dire adieu à sa bohème !

Alphonse a l'air très ému en revoyant Julia. Il en bégaie. Il la trouve encore plus séduisante que l'autre fois dans sa loge du Théâtre-Français, lorsqu'elle braquait ses jumelles sur lui et questionnait son père.

— Je ne vous ai pas oublié, lui dit-elle. Ah ! ce veston de velours gris ! Et cette chevelure insensée !

— C'est vrai ? demande-t-il étonné.

Ils dînent joyeusement. La femme d'Ernest — cette jolie cousine qu'il a enfin épousée — a fait préparer un délicieux repas où figurent beaucoup de spécialités nîmoises. Alphonse n'a d'yeux que pour Julia, sa voisine, qui a quatre ans de moins que lui.

Au cours de la soirée, il lit quelques-uns de ses poèmes. Elle s'approche de lui pour mieux l'écouter.

Je n'ai plus ni foi ni croyance !
Il n'est pas de fruit défendu
Que ma dent n'ait un peu mordu
Sur le vieil arbre de science :
Je n'ai plus ni foi ni croyance !

Elle lui répond par des vers de Marceline Desbordes-Valmore, une amie de sa mère qui, après avoir été passionnément aimée et fêtée, est morte dans une affreuse solitude.

J'ai voulu ce matin te rapporter des roses ;
Mais j'en avais tant pris dans mes ceintures closes
Que les nœuds trop serrés n'ont pu les contenir...

Quel joli dialogue entre ces deux êtres qui se rencontrent pour la première fois !

— Mes parents sont eux-mêmes poètes, dit Julia. Et j'ai publié une piécette dans la revue parnassienne *L'Art* sous le pseudonyme de Madeleine Tournay.

— Moi, mon seul dieu en art, c'est la Vérité.

C'est le coup de foudre. Tout les unit. Tout les rapproche. L'amour des Lettres. L'amour tout court. Elle est très belle. Il est très beau. Il est émerveillé par sa fraîcheur et son intelligence. Elle est charmée par sa voix, déjà envoûtée par son regard.

Cette rencontre l'a stimulé. Il se replonge dans son roman *Daniel Eyssette* qui devient finalement *Le Petit Chose*. Il préfère ce titre, même s'il lui rappelle d'amers souvenirs. Dans ce roman, il met en scène Marie Rieu sous le nom d'Irma Borel, une petite théâtreuse de banlieue qui quitte un monsieur sérieux pour un jeune poète sans le sou.

« Irma Borel était heureuse, elle. Cette vie lui plaisait ; cela l'amusait de jouer au ménage d'artistes pauvres. "Je ne regrette rien", disait-elle souvent. Qu'aurait-elle regretté ? Le jour où la misère la fatiguerait, le jour où elle serait lasse de boire du vin au litre et de manger ces hideuses portions à sauce brune qu'on leur montait de la gargote, le jour où elle en aurait jusque-là de l'art dramatique de la banlieue, ce jour-là, elle savait bien qu'elle reprendrait son existence d'autrefois. Tout ce qu'elle avait perdu, elle n'aurait qu'à lever un doigt pour le retrouver. »

Au moment où il est précisément en train d'écrire ce passage, on frappe à la porte. Un peu agacé, arraché à son rêve, il va ouvrir. C'est Marie justement. Elle a l'air triste et fatiguée. Elle le regarde avec amour.

— Je m'ennuie terriblement de toi, lui dit-elle. Je regrette de m'être installée dans la vallée de Chevreuse. C'est si loin d'ici !

— Tu sais, Marie, j'ai beaucoup voyagé. Deux mois en Alsace avec Alfred Delvau. Je suis allé à Jonquières, près de Beaucaire, pour travailler à un roman. Je me suis rendu aussi à Munich comme correspondant d'un journal. Depuis que j'ai perdu mon emploi au Palais-Bourbon, j'ai beaucoup de difficultés.

— Un roman. Tu écris un roman ! dit-elle. Fais voir.

Elle s'approche des feuilles éparses sur la petite table, en prend quelques-unes au hasard.

« Le Petit Chose s'arrêta, ébloui. Jamais elle ne lui avait paru si belle. D'abord, elle était moins pâle qu'à leur première rencontre. Fraîche et rose, au contraire, mais d'un rose un peu voilé, elle avait l'air, ce jour-là, d'une jolie fleur d'amandier et la petite cicatrice blanche du coin de la lèvre en paraissait d'autant plus blanche. Puis ses cheveux qu'il n'avait pas pu voir la première fois, l'embellissaient encore, en adoucissant ce que son visage avait d'un peu fier et de presque dur. C'étaient des cheveux blonds, d'un blond cendré, d'un blond de poudre, et il y en avait et ils étaient fins, un brouillard d'or autour de la tête. »

Elle continue à lire et dit d'un ton jaloux :

— Qui est cette femme ? Je suis sûre que c'est une femme que tu as connue.

— Mais non ! Je l'ai totalement imaginée.

Elle n'est pas très convaincue. Il la regarde avec lassitude car il voudrait bien reprendre le fil de son roman. Elle tombe sur une autre page. C'est ce qu'il craignait car cette fois, elle risque de se reconnaître. Toute la passion qu'il a eue pour elle est morte et maintenant, il la voit avec des yeux lucides. Quel changement en quelques pages ! Marie est stupéfaite. En lisant ces lignes, elle comprend tout.

« Tu avais raison, écrit le Petit Chose à son frère, c'est une aventurière, rien de plus. D'abord je la croyais intelligente. Ce n'est pas vrai, tout ce qu'elle dit lui vient de quelqu'un. Elle n'a pas de cervelle, pas d'entrailles. Elle est fourbe, elle est cynique, elle est méchante... Comment j'étais tombé dans les griffes de cette créature, moi qui aime tant ce qui est bon et ce qui est simple, je n'en sais vraiment rien, mais ce que je puis te jurer, c'est que je lui ai échappé et que maintenant, tout est fini, fini, fini... Si tu savais comme j'étais lâche et ce qu'elle faisait de moi ! »

Folle de rage, Marie pousse un terrible cri de colère et jette les pages à travers la pièce. Elle s'enfuit en pleurant.

X

Alphonse revoit Julia Allard. Ville-d'Avray est un excellent prétexte et les fameux cousins sont providentiels. Il apprend que la jeune fille a été demandée en mariage par des jeunes gens de son milieu mais les a toujours refusés. Elle doit aimer les poètes pauvres car des projets d'union avec François Coppée ont un instant été envisagés.

Elle semble très éprise d'Alphonse, subjuguée par son esprit et sa beauté. Le soir, il lui dit toujours des poèmes. Tout son recueil des *Amoureuses* y passe. Près d'elle, il est redevenu le jeune homme romantique épris d'art et de poésie, farouche admirateur de Musset. Dans ses années de bohème, dans ses liaisons tapageuses, il s'est un peu gâché. Auprès de cette jeune fille aussi belle que cultivée, il se retrouve.

Il rencontre bientôt les parents. Jules Allard est un homme fin et distingué, sa femme Léonide est douce et affable. Ils lui offrent un recueil de vers qu'ils ont écrits ensemble : *Les Marges de la Vie*.

— Nous avons même été couronnés aux Jeux Floraux en 1856, précise Léonide.

Jules Allard est un véritable artiste qui s'est égaré dans l'industrie. Il préfère parler de poésie plutôt que de son entreprise et écrit des vers pendant ses heures de loisir.

Il habite rue Saint-Gilles dans le quartier du Marais, l'hôtel de Vaux où se trouvent également ses bureaux.

Julia est déjà si attachée à Alphonse que ces riches bourgeois sont tout prêts à accepter ce bohème fantaisiste. Ils aiment passionnément leur fille. Ils la savent entêtée. C'est elle qui a jeté son dévolu sur ce jeune homme à qui elle trouve du talent, de l'intelligence et du charme. Elle pense déjà à le faire renoncer à sa bohème. Pourquoi ne deviendrait-il pas un homme rangé, un bon mari, un excellent père de famille et de surcroît, un grand écrivain ?

Elle habite pour l'instant chez sa grand-mère, devenue veuve, rue de Rivoli. C'est une adorable vieille dame en dentelles. Tous les soirs, il traverse le Paris glacial et neigeux de cette fin d'année 1866, avec de pauvres fleurs à moitié gelées dans la main, qu'il porte avec amour à la jeune fille.

— Vous avez les plus jolis yeux verts que j'aie jamais vus, lui dit-il.

Mais Marie Rieu revient à la charge. Elle va encore le surprendre dans sa chambre de la rue de l'Université. Elle devine qu'il se passe quelque chose d'étrange. Elle craint de perdre pour toujours son amant. Il a l'air si détaché quand il la voit.

Pour la décourager tout à fait, il s'enfuit en Provence dans la jolie maison des Ambroy, près de son cher moulin. Pendant quelques jours, il retrouve la paix dans cet admirable paysage qui a déjà été la source de son inspiration. Fontvieille, le joli bois de pins étincelant de lumière, les Alpilles au loin avec leurs crêtes finement ciselées. Les champs de lavande. Les maisons du village éblouissantes de blancheur. Un son de fifre. Un grelot de mule sur la route. Il voudrait bien emmener un jour Julia ici. Mais parviendra-t-il à rompre totalement avec Marie qui le harcèle ? Scènes et réconciliations se succèdent. Ennuis d'argent aussi. Cette liaison est devenue un effroyable collage dont il ne peut se défaire. Et Alice Ozy avec qui il veut rompre aussi et qui est tout autant passionnée !

Il essaie quand même de penser à autre chose. A Fontvieille, il écoute Mme Ambroy parler du temps passé. Un grand feu de pied d'olivier flambe. Une lampe de cuivre est accrochée à l'immense cheminée. Il se sent bien dans cette salle du mas.

Un peu plus loin sont rassemblés pour la veillée les paysans du domaine : le berger, le garde, le cocher et un petit bossu qui parle de la Terreur comme d'un événement survenu la veille. Ce sont de merveilleux santons vivants.

Réfugié sur son île déserte, il tente d'écrire mais il n'y parvient pas. Il est trop anxieux. Il sait Marie Rieu capable de tout. Il ne va même pas voir Mistral à Maillane. Il repart brusquement pour Paris et laisse un mot d'adieu à son cher Tim.

« Ami, je pars subitement. Ma présence à Paris est nécessaire pour *Le Frère aîné.* (Ce n'est pas vrai, Tim, je pars pour de gros ennuis que j'ai là-bas. Je vous raconterai cela l'an prochain.) Seulement pour tout le monde j'avais besoin d'un prétexte. *Le Frère aîné* me servira. Ne m'oubliez qu'un peu, pas trop cependant. A vous de cœur. »

Il court vers Arles pour prendre le train. Le voici en wagon, frissonnant d'angoisse. Il arrive à Paris le soir vers six heures. Il fait nuit.

— Cocher, rue de l'Université, 123 bis.

La voiture s'arrête. Il monte rapidement les étages et trouve Marie devant sa porte. Elle est pitoyable, le visage crispé par l'idée fixe, la peur de le perdre. Elle fait tout ce qu'il faut pour ça.

Cette fois, il se fâche.

— On m'a dit que, dans le passé, tu te couchais sur le paillasson d'un de tes amants. Je peux même te citer son nom : La Gournerie.

— Qui t'a dit ça ? demande-t-elle, folle de colère.

Changement de décor. Alphonse est reçu rue Saint-Gilles chez les parents de Julia. La jeune fille joue au piano une valse de Chopin. Les choses vont vite. On parle déjà de fiançailles.

Pour se rendre chez eux, il a marché dans les vieilles rues du Marais datant des seizième et dix-septième siècles, parsemées d'hôtels aristocratiques mais où habitent maintenant de riches bourgeois, chefs d'entreprises, des boutiquiers et des artisans. C'est un quartier qu'il connaît mal et qui lui a paru plein de charme.

Julia a quitté son piano. Elle est en face de lui. Il contemple une fois de plus ses magnifiques yeux verts, son teint ambré, son sourire un peu boudeur. C'est vraiment une jeune fille accomplie. Quelle excellente musicienne ! Quand il l'a vue pour la première fois dans sa loge au Théâtre-Français, défendant avec force la pièce des Goncourt, il a dit à son frère en riant :

— Si je m'étais marié, chose qui n'arrivera jamais, c'est une jeune fille comme celle-là que j'aurais épousée.

Les parents de Julia l'entourent. Léonide offre le thé. Ils aiment déjà beaucoup ce jeune homme. Le fait qu'il soit pauvre ne les gêne pas. Pour eux, un poète est le plus beau parti qui soit. Ils comprennent les sentiments qui agitent leur fille.

Il leur annonce une grande nouvelle.

— *Le Petit Chose* va paraître en feuilleton dans *Le Moniteur universel du soir.*

Julia applaudit. Elle croit à la réussite de ce garçon qu'elle aime.

Marie Rieu veille toujours au grain. Elle ne lâchera pas si facilement son amant. Elle n'accepte pas son abandon. Elle lui envoie des lettres à la fois désespérées et menaçantes. Elle fait irruption chez lui au moment où il s'y attend le moins. Il essaie de lui faire entendre raison mais elle est déchaînée et il vit dans la crainte perpétuelle d'un scandale. Si elle le suivait, si elle découvrait Julia, qu'arriverait-il ?

Il demande à d'anciens camarades de la *Brasserie des Martyrs*, Jean du Boys, Charles Bataille, de la convaincre, de l'apaiser par n'importe quel moyen. Cette passion traversée des pires orages ne lui est plus supportable.

Un soir, Marie surgit chez lui dans un état d'extrême surexcitation.

— J'ai tout compris. Tu as une autre femme dans ta vie. Je te préviens, si tu me quittes, je te tuerai, je la tuerai, je me tuerai.

— Mais, voyons, Marie, tu es folle ! Ne gâche donc pas tout notre passé.

— Notre passé ! Dans ton roman, tu n'as pas hésité à le saccager. J'en connais des extraits par cœur. Avec quelle méchante ironie m'as-tu traitée ! « Une femme forte qui ne croit ni à Dieu ni au diable mais qui accepte aveuglément les prédictions des somnambules et du marc de café. Aucun talent de tragédienne mais dans la vie privée une fière comédienne », écris-tu. Ah ! tu ne m'as pas ménagée ! A présent, tout Paris va rire de moi !

— De toi ? Mais tout Paris t'ignore.

A son tour, il éclate.

— Pauvre petit bohème de vingt ans, j'ai été ta proie. Je l'ai réalisé trop tard. Au début de notre liaison, tu as cru mettre la main sur un prodige, un grand poète de mansarde !

Elle trépigne de rage.

— J'étouffe... Je n'y vois plus... Je vais mourir.

Il n'a pas un geste, pas un mouvement vers elle. Ça ne prend plus ! Les pires menaces suivies de doux abandons l'ont trop fatigué. Depuis longtemps, cette femme ne compte plus pour lui.

Julia

Avec cela le contraire d'un bas-bleu, simple, timide, farouche...

(Lettre à Mistral)

I

Le 29 janvier 1867, à midi précis, Alphonse épouse Julia en l'église Saint-Denis du Saint-Sacrement, rue de Turenne.

Jusqu'au bout, il a redouté un scandale. Sur le parvis, ses vieux amis de la *Brasserie des Martyrs* ont monté la garde, prêts à intervenir au cas où Marie Rieu surgirait comme une furie.

La mariée est adorable. Pour la circonstance, le jeune marié s'est fait couper les cheveux. Aujourd'hui, il a l'impression de dire vraiment adieu à sa bohème. Le soir, un grand dîner est prévu au Véfour, rue de Beaujolais. Tous les parents sont là : Vincent et Adeline Daudet avec leur fille Anna qui a pour cavalier Léon Allard, frère cadet de Julia, Ernest, le frère bien-aimé, et sa femme, Jules et Léonide Allard, tous les deux radieux.

Les témoins de la mariée sont ses oncles. Ceux du marié, Paul Dalloz, directeur du *Moniteur de l'Empire*, et Frédéric Mistral qui est monté tout exprès à Paris. Le poète a toujours le teint halé par le soleil de Maillane. Il est vêtu de la redingote qu'il arbore dans les grandes occasions. Il serra son cher Alphonse sur son cœur et découvre avec ravissement la jolie Julia à laquelle il s'adresse d'une voix douce et chantante. Elle est séduite par son intelligence qui éclate sur son front large, dans ses yeux noirs et profonds qui gardent un peu de méfiance paysanne pour tout ce qui est de Paris.

Les jeunes mariés partent en voyage de noces à Cassis où Mistral a justement situé son admirable poème *Calendal.* Les voici à la gare de Lyon, cette gare triste qui, dans le Paris lointain où elle est située, semble une première étape de la province. Des quinquets allumés, des grandes baies vitrées, un incessant bruit de pas et de portes. Et partout des affiches : « Train de plaisir pour Monaco. » « Promenade circulaire en Suisse. » Les brouettes chargées de colis, les gens en retard qui se bousculent.

— Deux premières pour Marseille.

On regarde Julia. Elle porte un élégant manteau de voyage, un chapeau à plumes serré de voiles clairs. Son époux est aux petits soins pour elle. Léonide et Jules Allard les accompagnent jusqu'au wagon, leur font mille recommandations. A présent, c'est la folie du départ, le dernier coup de cloche, la vapeur qui chauffe avec un bruit sourd. Le train s'ébranle. La locomotive asthmatique tousse, crache et fume.

En arrivant, ils s'installent à l'*Hôtel de la Croix Blanche,* sur une place plantée d'arbres où coule une fontaine. La fenêtre de leur chambre ouvre sur une terrasse d'où ils peuvent contempler au loin de grands coteaux où courent les pins et les oliviers. L'ameublement est tout simple. Une étoffe à ramages. Deux chaises de paille et une table sur laquelle Alphonse écrit à sa belle-mère :

« Julia vient de sortir. Elle est allée chez la blanchisseuse. Me voilà tout seul dans notre chambre en face d'une grosse montagne verte qui a pour l'heure un grand chapeau de brume. Je profite de cette minute d'isolement pour vous écrire en hâte et vous remercier du joli diamant noir dont vous m'avez fait cadeau le 29 janvier. Ah ! chère mère ! Quelle âme fière ! Quels beaux yeux si bons ! J'ai commencé à lui donner des devoirs. Elle n'a jamais écrit en prose — dit-elle — et c'est charmant, je vous assure, ce qu'elle écrit en prose. Je lui fais recopier tous ses vers, nous les revoyons ensemble. Cela flotte un peu comme expression parfois, mais c'est bien l'œuvre d'un vrai poète. Il me semble que si la vie veut bien nous le permettre, nous serons très heureux... Vous m'avez l'autre jour appelé enchanteur. Ce n'est pas moi, c'est vous autres de la rue Saint-Gilles qui êtes des enchanteurs, charmeurs et autres ensorceleurs... »

Julia et Alphonse font de grandes promenades en mer avec un pêcheur de sardines, vont manger la bouillabaisse sur les rochers.

« Pays merveilleux... grosses vagues... un port, grand comme un mouchoir de poche... Ah ! mais un très joli mouchoir ! Qu'on est bien ! » écrit de son côté dans un style un peu télégraphique la jeune femme à sa mère.

Ils marchent vers le cap Canaille, dans des forêts de pins et de chênes-lièges. Ils se grisent de calanques et de baisers. C'est l'amour fou.

Plus les jours passent, plus ils se découvrent d'affinités. Elle lui récite des vers qu'elle a écrits, il lui lit la suite du *Petit Chose* qu'il est en train de terminer et elle pleure aux malheurs de Daniel Eyssette.

« La vie peut-elle brusquement changer à ce point ? » se demande-t-il. Il est si bien près de Julia ! Il s'étrangle d'émotion en lisant son œuvre et elle s'essuie les yeux.

— Pauvre garçon ! dit-elle. Tombé entre les belles pattes roses de cette Irma Borel, tragédienne de banlieue !

Il revoit les dernières semaines avant son mariage lorsque Marie Rieu lui faisait des scènes atroces. Il pense quelquefois à elle. Qu'est-elle devenue ?

Un jour, le cousin Tim débarque à Cassis. Il a hâte, lui aussi, de connaître la jeune mariée. Ils vont passer la journée avec lui à Marseille et il leur fait promettre de s'arrêter à Fontvieille avant de rentrer à Paris.

Deux poètes provençaux viennent aussi les voir : Théodore Aubanel et Joseph Roumanille. Julia est étonnée de trouver cet Aubanel si différent de ce qu'elle imaginait. D'après ses poèmes si mélancoliques, elle s'attendait à découvrir un beau jeune homme romantique et c'est un petit homme déjà gros et chauve, hanté toute sa vie par un amour malheureux, qui se présente à elle.

— Les jours filent, filent avec un train du diable, dit Alphonse à ses amis.

Ils font ensemble une promenade en mer, escaladent les rochers, dénichent une maison abandonnée où le pêcheur qui les accompagne allume un feu. Julia mange sur ses genoux deux côtelettes trop poivrées.

Les deux « félibres » partis, ils retrouvent leur petit hôtel tranquille. Ils s'installent sur la terrasse de leur chambre d'où la vue est magnifique au soleil couchant. Très prévenant, Alphonse étend une couverture de voyage sur les jambes de sa jeune femme. Il a toujours peur qu'elle prenne froid et lui a offert un très joli châle. Il l'appelle tendrement « Yaya ».

Une grande joie pour lui est de lire au soleil, assis dans un fauteuil, une de ses « Gazettes rimées » qui paraît dans *Le Figaro.* Il pense aussi à trouver dès son retour à Paris un éditeur pour *Le Petit Chose.* Paul Dalloz lui a envoyé une lettre très chaleureuse destinée à présenter son ouvrage à la maison Mame de Tours et il attend impatiemment une réponse.

Julia ne se lasse pas de contempler l'horizon.

— Ce beau Midi ! Comme je l'avais mal vu ! Je trouve cela un peu oriental. Ah ! ces amandiers en fleur ! Jamais je n'oublierai ces belles journées !

Mais un violent mistral les oblige à rentrer et ils en profitent pour se blottir dans les bras l'un de l'autre.

Il reçoit de son frère Ernest une lettre qui le tracasse. Encore des soucis d'argent. Ils se sont engagés à régler tous les deux le lourd passif de Vincent Daudet qui vit uniquement, avec sa famille, de ce que lui donnent ses fils.

Alphonse n'a pas voulu non plus faire son voyage de noces aux frais de Jules Allard. Il a autant de dignité que d'insouciance et une totale ignorance de l'argent. Pendant son absence, Ernest est allé voir Jules Allard. Le beau voyage de noces est gâché par tous ces problèmes. Il ne sera donc jamais tranquille. Il a toujours de vieilles dettes. A présent qu'on le sait marié et qu'on le soupçonne d'être riche, les créanciers le relancent. Il écrit à son beau-père :

« ... Je regrette qu'Ernest ait fait cela sans me prévenir. J'aurais bien mieux aimé vous écrire moi-même et surtout, si j'avais pu prévoir la chose, m'en expliquer avec vous au moment de mon départ. Le vrai exact, le voici : à l'heure de partir il me restait quelques milliers de francs dont j'avais besoin pour des échéances. D'autre part, je voulais emmener Julia dans le Midi. Un ami s'était — de lui-même — mis à ma disposition. Je suis parti fort tranquille. Puis, crac ! L'ami manque de parole... »

Les jeunes époux débarquent quand même à Fontvieille où on les attend. Tim est là, la tête droite, les mains dans les poches, son éternel petit cigare au coin des lèvres.

— On l'appelle ici « Maître Bon Sens », dit Alphonse en souriant à sa femme.

Puis il entraîne Julia vers son cher moulin. Elle regarde le ciel, les chênes verts, les pins, le moulin avec sa grande roue cassée, sa plate-forme où l'herbe pousse entre les briques. Elle s'assied près de lui. Il lui dit :

— Je mettrai un jour dans un livre tout ce que j'ai ressenti sur cette petite colline, parmi les jeunes pins ; nous verrons si j'ai senti juste.

La vieille Mme Ambroy leur donne la plus belle chambre. Jolis meubles, tissu aux grandes rayures de soie, longs balcons. Julia fredonne et, folle de joie, entraîne son mari.

— Un bal à nous deux, dit-elle amoureusement en se serrant contre lui.

Rien n'a changé, ni le paysage, ni l'accueil. Le Notaire, le Consul et l'Avocat les embrassent affectueusement. Mme Ambroy leur raconte des choses de son enfance. 1815. L'invasion, le grand cri de joie des femmes après la chute du Premier Empire, les danses, les feux allumés sur les places et le bel officier cosaque en habit vert qui l'avait fait sauter comme une chèvre, farandoler toute une nuit sur le pont de Beaucaire...

Pour Julia, c'est un peu comme si elle feuilletait un de ces anciens livres de raison, à tranches fatiguées, où s'inscrit l'histoire des familles...

Quand le mistral souffle, ils se réfugient à l'abri du vent, derrière de grandes roches qu'on appelle en patois provençal des « cagnards ».

Ils se rendent en Camargue, vers l'étang de Vaccarès, parmi les bœufs et les chevaux sauvages, librement lâchés dans ce coin de pampa. Ils admirent les longs étangs mauves frangés de roseaux secs, où fourmillent d'étonnants oiseaux dont le plumage les surprend. Les barques tenues en laisse traînent sur les eaux gorgées des nuages du ciel.

« ... Maintenant tout le marécage est allumé. La moindre touffe d'herbe a son ombre. L'affût est fini, les oiseaux nous voient : il faut rentrer. On marche au milieu d'une inondation de lumière, bleue, légère, poussiéreuse ; et chacun de nos pas dans les *clairs*, dans les *roubines*, y remue des tas d'étoiles tombées et des rayons de lune qui traversent l'eau jusqu'au fond. »

Ils vont aussi deux fois à Arles. Julia regarde les Arlésiennes en petit bonnet, admire les maisons anciennes ornées d'un balcon rond avec une rampe de fer. L'église Saint-Trophime lui fait songer à une pièce en vers que Frédéric Mistral leur a lue le soir de leur mariage. Elle a gardé un souvenir ébloui du poète.

Par un petit chemin charmant, elle découvre les Baux. La voiture cahote. Alphonse lui tient la main. Dans un site lunaire, elle aperçoit le village au milieu des ruines qui se confondent aux rochers désertiques. Le souffle du vent porte à travers les collines, le chant des cigales, les odeurs de lavande et de thym. Le château fantomatique dresse sa silhouette trapue sur fond de ciel d'un bleu soutenu.

Ils déjeunent à l'auberge Cornille où les voyageurs inscrivent leur nom sur un album. Dans un coin, elle lit :

« Alphonse Daudet 1866. » Elle ajoute : « Julia Daudet 1867. »

— Qui aurait pensé l'année dernière que, si peu de temps après, tu reviendrais aux Baux avec moi ? dit-elle.

Elle trouve que le Maire, le Notaire, le Consul et l'Avocat sont des vieux garçons un peu ours qui ne font pas assez attention aux jolies robes qu'elle a emportées dans ses malles. Cependant, pour honorer la charmante Mme Ambroy, elle met ce qu'elle appelle son « zouave » de velours, une veste courte et flottante. L'Algérie est très à la mode pour désigner bien des choses !

Le jour du mardi gras, ils vont danser avec les Fontvieillois sur la grand-place. Julia est la plus enragée. Elle aime tellement les scottish et les mazurkas.

Ils achèvent ce voyage à Nîmes où Alphonse va présenter sa jeune femme à sa famille.

— J'ai une grande reconnaissance envers mes tantes, dit-il. Elles ont offert une longue et large hospitalité à ma mère, au moment de la ruine de mon père.

Mais Julia ne l'écoute pas. Elle est trop occupée à sortir enfin ses robes de ses malles. Elle déballe un corsage de foulard noir et blanc, une jupe de taffetas qui ont un peu souffert du voyage.

— Que penses-tu de cette jupe violette et de ce chapeau violet aussi ? Il est un peu fatigué par le mistral et les promenades en mer mais... Et ces bottines ?

Il trouve surtout Julia ravissante.

II

Dès leur retour à Paris, Julia cherche un appartement. Celui où ils viennent de s'installer ne lui plaît pas. Elle le trouve petit et laid. Elle est un peu difficile. Ses parents lui ont donné de mauvaises habitudes. Elle finit par en découvrir un autre dans le quartier du Marais, 24, rue Pavée, au coin de la rue des Francs-Bourgeois. Malesherbes est né dans cet hôtel historique partagé maintenant entre plusieurs locataires et qui s'appelle l'hôtel Lamoignon. Elle fait aménager pour son mari un grand cabinet de travail qui donne sur de vastes ateliers vitrés et des jardins plantés d'arbres dont les racines poussent dans des conduites de gaz.

Julia a décidé de lui faire un intérieur douillet dans ce coin tranquille, loin du Boulevard, des cafés, des tentations. Ici, il pourra travailler dans la paix et écrire les livres qu'il porte en lui. Elle a tellement confiance en son talent. Cette vieille maison est bonne pour lui. Elle le calme, l'assagit. Il s'y transforme peu à peu, devient un autre homme.

Le *Théâtre du Vaudeville* vient d'accepter sa pièce *Le Frère aîné* et une seconde série des *Lettres de mon moulin* paraît avec succès dans *Le Figaro* et dans *Le Moniteur.*

C'est une vie douce pour les jeunes époux. Elle contraste singulièrement avec l'existence âpre et difficile qu'il a menée jusqu'ici. Ses beaux-parents sont extrêmement généreux, soucieux de leur bonheur, aux petits soins pour eux. Ils viennent souvent les voir en voisins, leur apportent des cadeaux, s'inquiètent de leurs problèmes. Julia joue toujours des valses de Chopin sur le grand piano et sa maman déclame des poèmes de Marceline Desbordes-Valmore, cette amie qu'elle ne peut oublier.

Vous aviez mon cœur,
Moi j'avais le vôtre :
Un cœur pour un cœur ;
Bonheur pour bonheur !
Le vôtre est rendu,
Je n'en ai plus d'autre,
Le vôtre est rendu,
Le mien est perdu !

Alphonse la félicite et elle lui répond :

— Comme on est bien entre artistes, n'est-ce pas ?

Elle adore aussi jouer aux échecs avec son gendre. Ils sont de force à peu près égale à ce jeu dont Alphonse a la passion. Peu à peu, auprès de Julia qui veille sur lui avec tant d'amour, le poète s'embourgeoise.

On ne parle dans Paris que de l'Exposition qui a attiré les rois de toute l'Europe : le tzar, le roi de Prusse, le roi des Belges, le roi d'Espagne, l'empereur d'Autriche et même le sultan de Turquie.

— Paris, dit Alphonse à Julia, accueille des flottes de nababs.

Le Grand Seize, le bal de l'Opéra, *Mabille* et le Boulevard sont toujours aussi fascinants. La chronique ne cesse de potiner sur Cora Pearl, Adèle Courtois et Anna Deslion, une singulière « lionne ». Henckel de Donnersmark vient d'épouser la Païva et lui a fait construire sur les Champs-Elysées le plus bel hôtel de Paris. Hortense Schneider, toujours radieuse, triomphe dans *La Grande Duchesse de Gerolstein* aux *Variétés*.

Alphonse regarde tout ce monde s'agiter.

« Des flottes de nababs de toutes les couleurs, des jaunes, des bruns, des rouges panachant les promenades et les théâtres, pressés de dépenser, de jouir. »

Cette Exposition est une cohue. Plus de quarante mille exposants se partagent le Champ-de-Mars et ses alentours. Sous les drapeaux qui claquent, on mange, on boit. Le soir, on danse sous les lampions. Julia retrouve avec plaisir les mazurkas et les scottish. Elle danse aussi la valse avec son beau mari. La gorge serrée, ils écoutent un orchestre tzigane devant un verre de vin de Hongrie. Les coups d'archets en zigzag les hypnotisent. Ah ! cette furieuse gaieté des czardas !

Ils contemplent au milieu des arbres et des fleurs ces pavillons de toutes les couleurs : coupoles, dômes, minarets. On y admire aussi d'étonnantes machines à vapeur, de singuliers métiers à tisser.

— C'est beau le progrès, dit Julia émerveillée.

Mais cette Exposition est avant tout une immense foire à la boustifaille et si les serveuses ne sont pas toutes d'origine, elles portent le costume du pays représenté. La Chine propose son thé, la Turquie son café, l'Angleterre son « ale ». Etrangers et provinciaux se pressent en rangs serrés. Paris est vraiment la reine du monde. On n'y trouve plus un fiacre disponible. Ils sont pris d'assaut dans ce tourbillon de joie. Alphonse et Julia aperçoivent un monarque inquiétant, fou de musique et de grandeur : Louis II de Bavière qui fera ramener dans son château de Linderhof un souvenir de l'Exposition Universelle de Paris : un pavillon mauresque construit en tôle qui lui servira de décor lorsqu'il voudra jouer au souverain oriental.

En décembre 1867, *Le Frère aîné* est enfin créé au *Théâtre du Vaudeville*, place de la Bourse. Julia est très émue d'assister à la première. La fête, la fête continue... Son mari serre les mains de beaucoup de gens qu'elle ne connaît pas : journalistes, critiques, acteurs. Elle a l'impression d'entrer dans un monde nouveau, la petite mariée de Cassis.

Cette création est presque un échec. Peu d'applaudissements, à part ceux des amis. Par bonheur, deux articles sauveront l'honneur : l'un de Jules Janin assez bienveillant et un autre carrément enthousiaste du bon Théophile Gautier qui n'hésite pas à employer le mot « chef-d'œuvre », ce qui ravit Alphonse.

En juin, il va avec sa femme passer l'été au château de Vigneux, à quelques lieues au sud de Paris et qui appartient à la grand-mère de Julia. C'est une magnifique propriété du XVIe siècle, entourée de bois profonds. Les deux tourtereaux sont logés dans une aile du château. Bonne-maman en dentelles est aux anges.

Le charme de cette vieille propriété, c'est l'eau, l'eau qui anime son silence grâce à une petite rivière si capricieusement jolie. Le château domine le paysage de ses grands toits d'ardoise, la ferme de ses tuiles rouges et le parc de ses tilleuls, de ses frênes, de ses peupliers. La maison, très haute seulement de toiture, a un grand air de mélancolie, une apparence d'ancienneté aristocratique : larges perrons, balcons de fer rouillé, vieux vases rongés de pluie.

Dans ce splendide décor, Alphonse a du mal à achever *Le Petit Chose*. Cette vie nouvelle est si différente de celle qu'il menait à l'époque où se situe ce récit autobiographique. Son regard se pose sur le parc, la pièce d'eau. Dans cette belle demeure où les serviteurs sont si empressés, si attentifs, il peine pour raconter la fin des malheurs de Daniel Eyssette. Comme dans un conte de fées, le Petit Chose est devenu provisoirement châtelain et la princesse est si jolie, à peine transformée par l'heureux événement qu'elle attend.

Un jour pourtant, il doit s'arracher à cette douce quiétude. Un rappel justement des temps anciens. Il a reçu une lettre qui l'a bouleversé. Il s'habille à la hâte, monte précipitamment en voiture.

— Je dois partir, Julia. Une affaire importante à régler. Je rentrerai ce soir.

— Tu ne veux pas que je t'accompagne ? demande-t-elle inquiète.

Il la serre tendrement dans ses bras.

— Non, je t'assure.

Le claquement sec du fouet. La victoria qui se met en route, tirée par une jument noire.

Julia le regarde s'éloigner avec anxiété. Elle pressent quelque drame. Elle sait que les créanciers le harcèlent toujours, qu'il ne parvient pas à rembourser toutes ses anciennes dettes. Il aurait, lui a-t-il confié, quarante mille francs d'arriéré. C'est une somme énorme. Comment la régler ? Il faudrait un succès, un grand succès pour y parvenir. Longtemps, elle suit des yeux la voiture.

Dès son arrivée à Paris, il retrouve à Montmartre ses anciens amis de la *Brasserie des Martyrs* : Jean du Boys et Charles Bataille. Ce sont eux qui l'ont prévenu. Marie Rieu vient de mourir à trente ans et ils vont tous ensemble assister à son enterrement.

C'est un moment dramatique pour lui. Marie a été liée à tant de souvenirs. En suivant le pauvre corbillard secoué sur les durs pavés, il revoit des images. Marie quand il l'a connue dans cette brasserie où elle passait son temps entourée de peintres et de poètes. Il la revoit, souriante et fatale, au milieu de tous ces rapins qui faisaient de beaux rêves. Et c'est sur lui qu'elle avait jeté son dévolu ! Les autres l'enviaient. Marie dans les guinguettes des bords de la Seine qu'elle aimait tant, Marie jalouse et excessive, Marie sur les planches des théâtres miteux, Marie suppliante, menaçante, Marie qu'il avait fuie.

Jean du Boys lui tape familièrement sur l'épaule comme pour le faire sortir de son rêve. Oui, sa bohème est bien morte. Les frasques, les camarades ivres d'absinthe qui voulaient refaire la société et s'en allaient mourir à l'hôpital.

Ils passent devant la *Brasserie des Martyrs* où, à la terrasse, d'autres jeunes gens qui ont pris leur suite bavardent bruyamment. Parmi eux, il y a une fille qui va de table en table en souriant et qui ressemble étrangement à Marie.

Il dit à son ami :

— Si tu savais comme elle m'a rendu malheureux au moment de la séparation, avec ses lettres folles, ses menaces, ses stations devant ma porte... Six mois avant mon mariage, des mois après, j'ai vécu dans l'épouvante et l'horreur, ne rêvant qu'assassinat, suicide, vitriol et revolver... Elle avait juré de mourir, mais de tuer tout le monde auparavant : l'homme, la femme, même l'enfant si j'en avais un.

Un autre drame va attrister Alphonse. Son camarade Alfred Delvau, son compagnon de voyage en Alsace, ce républicain hirsute resté toujours bohème, est très gravement malade. Malgré les soins du docteur Marchal, appelé tout spécialement, et le dévouement de ses amis, il n'aura pas la joie de voir paraître son dernier livre *Les Sonneurs de Sonnets* et mourra, lui aussi à l'hôpital, dans la plus affreuse misère.

III

Au *Théâtre des Variétés*, Julia et Alphonse assistent à la première de *La Périchole.* Sur la scène, Hortense Schneider chante le fameux air de la lettre. Elle est jolie et attendrissante quand elle détaille ce couplet :

O mon cher amant je te jure
Que je t'aime de tout mon cœur ;
Mais, vrai, la misère est trop dure,
Et nous avons trop de malheur.

Il serre la main de sa femme :

— Yaya, ma Juliette, es-tu heureuse ?

Quatre ans ont passé depuis la générale de *La Belle Hélène* dans ce même théâtre. Les opérettes d'Offenbach ont ponctué sa jeunesse. Il y a quatre ans, il se trouvait ici aux côtés d'Alice Ozy, superbement élégante et superbement dévergondée. Morny vivait encore et était allé féliciter les auteurs à la fin de la représentation. Il entend encore la voix d'Offenbach :

— M. de Saint-Rémy n'a pas un nouveau livret à m'apporter ?

Je suis faible, car je suis femme
Et j'aurai rendu quelque jour

Le dernier soupir, ma chère âme,
Croyant en pousser un d'amour.

Un tonnerre d'applaudissements secoue la salle. Julia se tourne vers lui. Elle est très émue. Elle est toujours en parfaite communion avec son mari. Elle l'encourage et l'aide au besoin. *Le Petit Chose* a paru chez l'éditeur Hetzel, quelques mois plus tôt. Les journaux en ont parlé avec éloge mais la vente n'a pas répondu à ce qu'une critique favorable avait laissé espérer. Un enfant leur est né en novembre 1867, qu'ils ont appelé Léon pour faire plaisir à Léonide, la mère de Julia.

Alphonse a écrit tout de suite à son ami Frédéric Mistral :

« Comment vas-tu, mon Mistral ? Es-tu heureux ? Que fais-tu ? Un mot, s'il te plaît. Moi, je suis père ; c'est étonnant ! J'ai fait matelasser toutes les portes de mon cabinet pour ne pas entendre le baby ; mais, bah ! Je l'entends tout de même, et ses petits cris me mordent les entrailles délicieusement. La pauvre mère se lève depuis hier un peu. Elle a passé deux mois au lit et des souffrances !... Les derniers jours, pour se distraire et gagner un peu d'argent — c'est cher un bébé, une nourrice, une garde ! — elle s'est mise à écrire des nouvelles. C'était la première fois qu'elle écrivait en prose, et il se trouve qu'elle a tout simplement un talent adorable.

« *Le Moniteur* a publié hier une fantaisie intitulée *Les Etrennes de la morte* signée M... M... : c'est ma femme ! *L'Eclair* en a publié une autre, signée J... C'est encore ma femme ! Bien entendu c'est un secret. Aux journaux, on n'en sait rien ; on a trouvé cela très joli ; et on en a commandé d'autres. Ma pauvre chérie est dans le ravissement. Pense ! Elle a gagné en huit jours, étant au lit, cinquante francs. Le mois de la nourrice... »

En sortant du *Théâtre des Variétés*, Julia lui demande de l'emmener souper au restaurant *Bignon* qui est tout proche. Elle a toujours eu envie d'y aller. Sur le Boulevard, la fête bat son plein.

Comme toujours, dans ce restaurant à la mode, il n'y a presque que des dîneurs célèbres, des artistes, des viveurs, tous les dandys de Paris. Ils aperçoivent Théophile Gautier qui les salue aimablement. Julia est radieuse. Elle regarde avec vénération ce poète qui, en 1830, lors de la bataille d'*Hernani*, s'est élancé à la tête des troupes « flamboyantes », arborant son fameux gilet rouge cerise et son pantalon vert d'eau.

Il lui montre aussi Barbey d'Aurevilly qui vient d'entrer. Celui-ci porte un grand manteau noir flottant doublé de blanc et le fond de son chapeau haut-de-forme est de satin écarlate.

— Il a commencé par mener une vie assez tapageuse et s'est un peu assagi, dit Alphonse. Il vient de publier un chef-d'œuvre d'intelligence délicate et raffinée : *Un prêtre marié*.

A une autre table, dans le reflet blafard du gaz, il aperçoit Alice Ozy. C'est ce qu'il redoutait. Mais par bonheur, elle est très entourée et feint de l'ignorer.

Julia a commandé un consommé de tortue, puis des mauviettes en caisse aux truffes, Alphonse un consommé de volaille et un filet de bœuf financière. Le tout accompagné de château-larose.

Ils se débattent pourtant au milieu de grandes difficultés matérielles mais Julia, qui tient les cordons de la bourse, n'a pas lésiné ce soir. Le jeune ménage vit souvent d'expédients. Ah ! ces dettes sournoises. Courageusement et secrètement, ils luttent. Julia ne veut pas demander d'argent à ses parents qui les ont déjà beaucoup aidés. Malgré tous leurs problèmes, elle est heureuse auprès de ce poète qu'elle a voulu de toutes ses forces.

— Je pense souvent à une phrase que tu m'as dite lors d'une de nos premières rencontres : « Vous avez les plus jolis yeux verts que j'aie jamais vus. » Le pensais-tu vraiment ?

Il la regarde avec tendresse. Il ne regrette pas l'époque où il courait les filles. Les éclats de rire bruyants d'Alice Ozy, entourée de toute sa cour d'admirateurs, le choquent. Il est bien auprès de sa jeune femme fine et cultivée qui vit, elle aussi, pour l'amour des Lettres. Avec elle, il tourne et retourne vingt fois de suite les sujets de romans. Du matin au soir, aux repas, en voiture, en allant au théâtre, en revenant de soirée, pendant ces longues courses en fiacre qui traversent le silence de Paris. Elle ne s'en lasse jamais.

Quand ils sortent de chez *Bignon*, les becs de gaz sont éteints. Seules les fenêtres de la *Maison Dorée* et du *Café Riche* brillent encore dans la nuit. La rue est déserte : plus un omnibus, plus un fiacre, plus un coupé. Il prend amoureusement le bras de sa femme et décide de rentrer à pied.

Alphonse travaille toujours beaucoup. Outre ses articles pour les journaux, il écrit des contes et une comédie en trois actes, *Le Sacrifice*, qui doit être créée au *Vaudeville*. C'est un drame sur la famille, sans aucune intrigue amoureuse. Ce sujet plaira-t-il au public ?

Les *Lettres de mon moulin* viennent de paraître en volume, toujours chez Hetzel. Le premier exemplaire est bien sûr destiné à Timoléon Ambroy. Ce ne sera pas encore un grand succès de librairie. On en vendra à peine deux mille exemplaires. Nées dans la « Chaumière » de Clamart, ces Chroniques Provençales, comme il les appelle aussi, ont été écrites au fil des années.

Partout où il se trouve, Alphonse Daudet prend des notes. Il a toujours sur lui des petits carnets. Ces notes sont moins des documents que des impressions. Il les recueille au gré du moment. Toujours à l'affût, il inscrit les détails, les particularités qui le frappent. Ce sont des albums d'esquisses qui deviendront plus tard de merveilleux tableaux, des chef-d'œuvres universellement appréciés. *Le Secret de Maître Cornille*, ce brave meunier qui se meurt de langueur parce que son moulin ne reçoit plus de blé à moudre, *La Chèvre de M. Seguin* qui a perdu la vie à vouloir vivre libre, *L'Arlésienne*, cette fille ensorcelante que le petit Janet aimait trop, *La Mule du Pape*, fresque grouillante d'un monde de seigneurs sous le ciel d'Avignon, *Le Curé de Cucugnan*, qui n'a dans sa paroisse que des mécréants, *Les Trois Messes basses*, *Les Vieux*, histoires si touchantes de tendresse et baignées de cette merveilleuse lumière du Midi. Et l'immortel *Sous-préfet aux champs* qui fait l'école buissonnière dans un petit bois de chênes verts où il y a des oiseaux, des violettes et des sources. Un pivert le regarde en riant, les fauvettes lui chantent leurs plus jolis airs. Tout le petit bois conspire pour l'empêcher de composer son discours. Finalement, débraillé comme un bohème, il finira par envoyer au diable ses administrés et par écrire des vers. O ciel ! O ciel bleu !

« C'est mon livre préféré, dit Alphonse Daudet, non pas au point de vue littéraire, mais parce qu'il me rappelle les plus belles heures de ma jeunesse, rires fous, ivresses sans remords, des visages et des aspects amis que je ne reverrai plus jamais. »

Certains jours, Alphonse et Julia reçoivent : l'éditeur Lemerre, Sully Prudhomme, José Maria de Heredia, Anatole France, ce jeune homme fou de littérature qui, à vingt-quatre ans, vient de publier un remarquable ouvrage sur Alfred de Vigny. Julia revoit quelquefois son ancien soupirant François Coppée, l'œil gris, l'air malicieux. Mais toujours en présence de son mari qui aime aussi beaucoup le poète.

Pour passer l'été, les parents de Julia ont loué à Champrosay, tout près de la forêt de Sénart, une maison que le peintre Eugène Delacroix a habitée jusqu'à sa mort. Dans l'ancien atelier, Alphonse installe son cabinet de travail encombré de livres et de journaux. Sous les fenêtres, un long terrain à moitié en broussaille rejoint la Seine. De fragiles fleurs de cytises y traînent, molles et embaumées. Des glycines mauves s'y accrochent. L'herbe est si haute et si folle, qu'elle y engloutit arbustes tordus, rachitiques, buissons étoilés de fleurs sauvages, aubépines touffues. Les papillons se confondent aux pétales des jardins qui s'effritent au moindre souffle du vent.

Oui, la Seine est toute proche et il peut de nouveau se livrer à sa passion favorite : le canotage. De chaque côté du fleuve, les rives moussent d'une verdure moelleuse. Les nuages promènent leur ombre légère, Julia l'accompagne souvent. Il rame vigoureusement, brise les reflets d'argent des vagues douces. Elle reste à l'arrière de l'embarcation, le visage protégé par une ombrelle. Comme elle est ravissante, Julia ! Un jour Renoir, familier aussi des bords de la Seine, fera d'elle un très joli portrait.

Quelques amis, toujours bohèmes, viennent quelquefois les surprendre : Paul Arène, qui a collaboré aux *Lettres de mon moulin,* Jean Du Boys, André Gill, devenu un caricaturiste à la mode. Tous sont séduits par la beauté, la grâce et la gentillesse de Julia. Elle les reçoit en excellente maîtresse de maison. Elle aime ces jeunes gens, pleins de talent, qui ne vivent que pour l'art. Ce sont d'adorables parties de campagne. Les barques se suivent et se ressemblent. On navigue sous les saules, sur la rivière qui éclate de lumière. Tous envient Alphonse qui, si jeune, a jeté l'ancre et su trouver un bonheur si complet.

Il y a aussi Gonzague Privat, un peintre méridional plein de verve et d'imagination qui fait les courses, accorde le piano, promène le bébé dans ses bras, donne des recettes de cuisine, fait du même bébé un ravissant portrait. On le retrouvera souvent à travers l'œuvre d'Alphonse Daudet, extravagant et chimérique.

Léonide et Jules Allard sont à leur tour tellement éblouis par le bonheur de vivre à Champrosay qu'ils décident d'y acheter une propriété, en haut de la côte, où toute la famille pourra passer l'été. Alphonse et Julia y disposeront d'un étage. Ils sont séduits par la forêt si proche, la douceur des collines dévalant les pentes jusqu'à la Seine. Champrosay où l'on vit comme au fond d'une province.

Derniers jours d'insouciance avant que la guerre n'éclate. Depuis longtemps, le Second Empire valse sur un volcan. Une société brillante et désaxée s'achemine à sa perte aux accents d'Offenbach.

IV

Les violons de Mabille se sont tus. Les Tuileries sont désertes. De Champrosay, Alphonse écrit à son cher Tim :

« Voilà la France ruinée, l'Empire fichu (sans rémission) et les armées ennemies qui avancent toujours. Paris se prépare à se défendre, mais hélas !... Moi, je rage et je pleure — c'est tout ce que je peux faire. Je suis au lit depuis quarante jours. Je me suis cassé la jambe en me livrant à mes exercices nautiques... Si la bataille de Châlons est perdue — ce que je crains — nous irons nous abriter dans Paris. Ernest est au Sénat, transformé en ambulance qu'il inspecte. Il a mis sa femme aux bains de mer. Moi, Julia ne veut pas me quitter et comme d'autre part, je ne veux pas m'éloigner dc Paris, il est probable que nous resterons...

« Voilà la situation : l'Empereur est à Châlons, à Paris il n'est plus question de lui, on ne veut que se défendre !... Quel gâchis ! Et au milieu de tout cela, voilà que je suis nommé chevalier de la Légion d'honneur... »

C'est l'impératrice Eugénie elle-même qui lui a fait donner cette distinction. Elle a beaucoup de sympathie pour ce poète qu'elle n'a pas oublié.

Entre-temps, pour éviter une révolution sanglante, elle a supplié l'Empereur de ne pas rentrer à Paris. Le 4 septembre 1870 la déchéance de Napoléon III est proclamée. Avec Jules Favre, Léon Gambetta instaure la République et devient ministre de l'Intérieur dans le gouvernement provisoire de la Défense nationale.

Alphonse a quitté Champrosay avec les siens dans un vieil omnibus et il arrive chez lui au moment où Gambetta proclame la République sur le balcon de l'Hôtel de Ville. Quel chemin parcouru par son ancien camarade de l'*Hôtel du Sénat* !

Bientôt c'est la tragédie, le siège de Paris. Réformé à cause de sa myopie, Alphonse demande à faire partie de la garde nationale. Julia s'installe avec son fils chez ses parents, rue Saint-Gilles.

Alphonse retrouvera Gambetta. Dans des circonstances dramatiques. Au pied de la Butte Montmartre, sur la place Saint-Pierre. C'est un moment historique. Gambetta doit en toute hâte quitter Paris en ballon pour gagner la province, échapper à l'étreinte ennemie et organiser la défense avec Spuller, son chef de cabinet. Le ballon l'*Armand Barbès* est prêt à l'envoler. Une foule est rassemblée autour, grave, tendue, inquiète. Que va-t-il arriver ? Les Prussiens ont pris la ville dans un étau. Des femmes en cheveux au visage hâve regardent les deux hommes avec angoisse. Alphonse s'approche des passagers couverts de fourrure, coiffés de casquettes d'aéronautes. Gambetta le reconnaît et lui serre chaleureusement la main. Il esquisse un sourire.

— Mon vieux, tu arrives trop tard. Je suis obligé de partir. Il n'y a pas un instant à perdre. Mais nous nous reverrons.

— Bonne chance ! lui crie Alphonse.

Gambetta monte dans la nacelle et bientôt, le ballon s'élève et prend de la hauteur. Tous les yeux sont braqués sur lui.

Les journées qui suivent sont dramatiques. Les Parisiens sont affamés et terriblement démoralisés. On fait la queue aux boulangeries et aux boucheries. En décembre, on mangera Castor et Pollux, les éléphants du Jardin des Plantes.

Après la signature de l'armistice, Alphonse est rendu à la vie civile. Mais l'insurrection générale éclate à Paris. Il a la surprise de reconnaître parmi les membres élus de la Commune beaucoup de ses anciens camarades qu'il a connus au *Café de Madrid* dont ils étaient les clients assidus : Jules Vallès, Courbet entre autres. Son ami le journaliste Rochefort prend parti lui aussi pour l'insurrection. Pendant ce temps, à Versailles, Thiers essaie de reconstituer l'armée française et de rentrer en force à Paris.

Alphonse Daudet vit la Commune. Il voit dans les deux camps le courage, l'abnégation et bien des injustices. Dans le quartier du Marais, l'émeute prend un caractère bon enfant. Les boutiques restent ouvertes, les gamins font flotter des bateaux de papier dans les mares formées sur les chaussées éventrées. Mais dans le centre de Paris, les Tuileries flambent et aussi l'Hôtel de Ville, le Palais de Justice, la Cour des Comptes... De grands incendies brûlent dans le silence du crépuscule.

Cette guerre tragique de 1870 lui inspirera l'un de ses plus jolis *Contes du Lundi* : *La Dernière classe*, le récit d'un petit Alsacien auquel l'instituteur bouleversé apprend que l'ordre est venu de Berlin de ne plus enseigner que l'allemand et qui s'insurge : « Ma dernière leçon de français !... Et moi qui savais à peine écrire ! Je n'apprendrai donc jamais... mes livres que tout à l'heure je trouvais si ennuyeux, si lourds à porter, ma grammaire, mon histoire sainte, me semblent à présent de vieux amis... »

Alphonse Daudet atteint dans ce conte, avec les moyens les plus simples, à la plus grande intensité d'émotion. C'est un vrai petit drame dont la fin est chargée d'une indicible angoisse : le maître qui a mis, pour la circonstance, sa belle redingote verte, le désespoir du petit Franz, son remords du temps perdu.

Cinquante mille Alsaciens quitteront alors leur sol natal pour demeurer français.

Touché au cœur, le pays renaît de ses cendres et se relève peu à peu. Presque tout de suite après la guerre, Alphonse songe à deux nouvelles pièces : *Lise Tavernier* et *L'Arlésienne*, un drame de la Camargue où il mettra en scène les paysans de Fontvieille. Mistral lui en a donné le sujet.

Julia travaille à un album pour enfants, *les Petits Robinsons des caves,* illustré par Bertall. Elle exigera que son mari le signe. Elle est très modeste et ne vit que pour la gloire de son grand homme.

C'est elle aussi qui lui suggère d'écrire un roman réaliste sur la bourgeoisie et les petites gens du quartier du Marais. Mais il ne pense qu'à cette *Arlésienne* pour laquelle Georges Bizet écrit une étincelante partition.

Les deux hommes se rencontrent souvent. Ils ont tous les deux la même sensibilité. La musique de Bizet est aussi lumineuse et brillante que la prose d'Alphonse Daudet. Liszt et Berlioz sont des grands admirateurs du jeune compositeur qui a été grand prix de Rome.

Bizet vient fréquemment voir les Daudet. Il a deux ans de plus qu'Alphonse. Un épais collier de barbe rejoint son abondante chevelure brune. Derrière ses bésicles, son regard est vif et profond. Assise dans un fauteuil du salon, Julia l'écoute jouer au piano des extraits de *L'Arlésienne.* Elle est conquise par cette musique si vivante.

— Ce sera un grand, un très grand succès, lui dit-elle. Vous avez un sens inné du théâtre et de la couleur. Chez vous, la mélodie coule de source et témoigne d'un charme rare. Vous êtes un génie bien français.

Pourtant, Georges Bizet doute toujours. Cette avalanche de compliments ne parvient pas à le rassurer, à lui donner confiance en lui.

La pièce doit être créée au *Vaudeville* qui s'est transporté rue de la Chaussée-d'Antin. Alphonse croit lui aussi au succès de cette œuvre. Pour la première fois, il a invité tous ses amis. Timoléon Ambroy est même venu exprès de Fontvieille. Le Provençal est curieux de voir portés à la scène les tableaux inspirés par la vie dans son mas.

Les critiques les plus connus se trouvent dans la salle. Julia et Mme Bizet, toutes deux très élégantes, occupent une loge. Alphonse est resté dans la coulisse, près du compositeur. Julia est un peu anxieuse. Elle aperçoit Francisque Sarcey qui est très redouté, Villemessant qui fait toujours la loi à Paris. Le régime a changé mais son pouvoir à lui est resté le même. Comment vont-ils réagir ?

Constantin, le chef d'orchestre, lève sa baguette. L'orchestre attaque l'ouverture. Julia a le trac qui lui donne les mains moites et fait battre son cœur très vite. Comme elle se sent près de son mari en cette minute ! Comme elle pense à lui !

Bientôt, le rideau se lève. Julia Bartet, une toute jeune actrice, débute ce soir dans le rôle de Vivette.

— Elle a beaucoup de talent. Je suis sûr qu'elle deviendra une grande tragédienne, chuchote Alphonse.

— Oui, quel charme extrême, répond Bizet. Elle est divine.

Mais ils entendent bientôt des murmures dans la salle, des ricanements dans le public. Ils sont consternés. C'est « l'emboîtage », le four prévisible. Le pathétique du sujet n'arrive pas à convaincre les spectateurs ni à les émouvoir. Personne ne croit à cette histoire d'un jeune paysan camarguais se tuant par amour pour une Arlésienne débauchée. Malgré la musique superbe de Bizet et le talent des interprètes, Julia voit avec horreur Villemessant sortir de sa loge, sans attendre la fin, et criant :

— C'est impossible, cette pièce où il n'y a que des vieilles femmes !

Dans la coulisse, Alphonse est désespéré. Quant à Bizet, il est carrément indigné.

— Regardez-les. Ils n'écoutent même pas.

En effet, ils n'écoutent plus, montrant une totale indifférence, et même de l'ennui. Certains bâillent.

Julia, qui était venue si confiante à cette première, est maintenant atterrée. Quand le rideau tombe, elle bondit vers son mari et ils sortent avec Bizet par une porte dérobée. Ils n'ont pas le courage d'affronter ce soir leurs amis. Ils font quelques pas sur le Boulevard jusqu'à la station de place.

— Je redoute la critique, dit Alphonse. Elle sera terrible, n'est-ce pas ?

Julia, d'ordinaire si optimiste, ne trouve pas une parole pour le consoler. Ils quittent Georges Bizet et sa femme, montent dans un fiacre. Dans la petite boîte noire qu'éclairent par instants les becs de gaz, elle se blottit contre son mari. Elle est désespérée.

La critique en effet est unanimement féroce. *L'Arlésienne* est un sanglant échec. Bientôt, Bizet en subira un autre non moins terrible avec *Carmen*. Il ne s'en remettra pas et mourra de chagrin trois ans plus tard, à trente-sept ans.

Alphonse Daudet est totalement déprimé lui aussi. Il veut abandonner la carrière des lettres. Il notera :

« *L'Arlésienne* fut une chute resplendissante dans la plus jolie musique du monde, en costumes de soie et de velours, au milieu de décors d'opéra-comique. Je sortis de là découragé, écœuré, ayant encore dans les oreilles les rires niais causés par les scènes d'émotion, cette peinture en trois actes de mœurs et d'aventures dont j'étais seul à connaître l'absolue vérité. Allons ! c'est fini. Six mois de travail, de rêves, de fatigues, d'espérance, tout cela s'est perdu, envolé à la flambée de gaz d'une soirée. »

Il regarde Julia si désemparée, elle aussi :

— Echec sur échec au théâtre ! *Lise Tavernier* donné à *l'Ambigu* huit mois plus tôt est tombé à plat. J'avais pourtant choisi pour faire représenter cette pièce le jour anniversaire de notre mariage.

Elle s'approche tendrement de lui et essaie de le consoler.

— Le directeur de *l'Ambigu*, spécialisé dans les mélodrames les plus noirs, t'avait demandé trop de concessions.

— *Le Figaro* a houspillé ma pauvre *Lise Tavernier* parce que je m'entête à ne plus écrire pour lui. Je n'en peux plus. Je ne souhaite qu'une chose : redevenir fonctionnaire comme au temps de Morny.

Julia revient à cette idée qui ne l'a pas quittée.

— Pourquoi n'écrirais-tu pas un roman réaliste qui se passerait dans le quartier du Marais ? Je t'aiderai. Je connais bien cet endroit. J'y ai passé toute ma jeunesse.

Il semble réfléchir.

— Tu veux dire que les Parisiens sont peut-être las de

m'entendre parler de cigales, de filles d'Arles, du mistral et de mon moulin... Ah ! Parisienne de mon âme, que veux-tu faire de ton Provençal !

Un peu plus tard, Timoléon Ambroy arrive chez eux. Lui aussi a du mal à encaisser l'échec de *L'Arlésienne.* Il a les yeux remplis de larmes. Il s'attendait à un tel triomphe !

— Mon pauvre Alphonse, comme je suis malheureux pour toi !

Il est aussi terriblement gêné. Il tortille son chapeau entre ses doigts. Il ne sait comment raconter que *Chapatin, le tueur de lions*, devenu *Barbarin de Tarascon* et publié par *Le Petit Moniteur*, a choqué plusieurs familles en Provence. Un M. Barbarin de Tarascon a même protesté et menacé d'engager des poursuites judiciaires contre l'auteur de cette « outrageante bouffonnerie ».

— Ce nom de Barbarin est très répandu à Arles, à Tarascon, et même à Fontvieille, explique Tim. C'est un peu ennuyeux.

— Un procès ferait une magnifique réclame à mon livre qui va sortir bientôt. Les épreuves sont déjà prêtes. Mais bah ! pour te faire plaisir, je changerai le nom de mon héros. Je l'appellerai... Je l'appellerai... *Tartarin de Tarascon.* Je crois que Tartarin est assez différent de Barbarin pour satisfaire les offensés !

V

Un lecteur est enchanté par la lecture des *Aventures prodigieuses de Tartarin de Tarascon*, c'est Gustave Flaubert. Il n'a pas pour habitude de mâcher ses mots. Il écrit à Alphonse Daudet : « Ce livre est purement et simplement un chef-d'œuvre. »

Julia décide d'inviter à dîner le grand écrivain. Elle a toujours rêvé de le connaître. L'auteur de *Madame Bovary* accepte bien volontiers et vient sans se faire prier rue Pavée. Alphonse est émerveillé. Il se souvient du temps pas si lointain où il le voyait passer sous les arcades de l'Odéon avec son ami le poète Louis Bouilhet. Jamais il n'aurait imaginé qu'un jour il le recevrait chez lui.

Lorsque Alphonse lui raconte ses démêlés avec le fameux Barbarin, Flaubert éclate d'un rire énorme.

— Vous avez eu tort de changer ce nom ! Un procès, quelle réclame ! J'attribue une bonne part du succès de *Madame Bovary* à celui qu'on m'a intenté à l'époque de sa parution. N'oubliez pas que j'ai été traduit en correctionnelle. Quelques scènes du roman avaient scandalisé les milieux bien pensants.

— Ce ne sont pas les menaces de ce M. Barbarin qui m'ont fait peur. Un procès aurait amusé tout le monde, mon éditeur le premier. Mais j'ai beaucoup d'affection pour mon cousin Tim et je n'ai pas voulu le froisser. Il y a huit ans, je me suis déjà brouillé avec mon autre cousin Reynaud qui s'était reconnu dans mon personnage.

Flaubert rit encore.

— Comme c'est farce ! En tout cas, vous avez, jeune homme, beaucoup de talent et une très jolie femme ! Venez donc me voir un dimanche rue Murillo. Lorsque je suis à Paris, j'aime recevoir mes amis. Les plus intimes sont Edmond de Goncourt et Ivan Tourgueniev.

Cette année 1872 est bien difficile pour Alphonse Daudet. D'anciens créanciers, que la guerre a écartés, se réveillent subitement. Ils réapparaissent avec de nouvelles exigences. Pour survivre, le ménage n'a plus que la rente dotale servie par Jules Allard à sa fille. Alphonse est assez dépensier et a toujours vécu au-dessus de ses moyens.

Julia montre un grand courage. Afin que son mari puisse continuer à poursuivre son œuvre, elle fera durer ses robes, ses chapeaux, se mettra à coudre. Ils sortiront moins. Pour sauver la maison, elle décide aussi d'engager ses bijoux au mont-de-piété.

— Mais, Julia, tu deviens folle ! Tes bijoux au « clou » !

— Il le faut, je te dis. Seulement, je n'irai pas moi-même. Alors, tu vas charger un de tes amis de cette affaire. Pourquoi pas Gonzague Privat ?

Alphonse travaille de nouveau, travaille... Une anecdote qu'on vient de lui raconter l'encourage.

Quand ont paru les *Contes du Lundi*, Emile Zola a décidé d'écrire un petit article sur ce nouveau livre qui lui a plu. Le directeur du journal auquel il collabore l'a refusé, donnant pour motif qu'il était malséant de faire dans une feuille républicaine l'éloge d'un réactionnaire. On reproche en effet à Alphonse Daudet d'avoir été le collaborateur de Morny.

— Ces raisons n'ont rien à voir avec la littérature, s'est écrié Zola. Si mon article ne passe pas, je cesserai tout simplement d'écrire pour ce journal.

Ernest, qui veille toujours sur son frère, a décidé de le tirer de ses ennuis d'argent. Il travaille depuis peu au

Journal Officiel. Il obtient pour Alphonse la critique dramatique et pour Julia, la critique littéraire. Merveilleux coup double ! Sur les conseils d'Ernest qui trouve que deux Daudet de plus dans la maison c'est quand même beaucoup, elle a pris un étrange pseudonyme : Karl Steen.

Jules Allard aussi est inquiet de voir le couple se débattre au milieu des pires difficultés. Il admire le courage et la ténacité de sa fille, le talent de son gendre. Dans sa nouvelle propriété de Champrosay, il leur a réservé comme prévu le second étage. Ils n'auront ainsi plus besoin de louer l'ancienne maison où vivait le peintre Delacroix. Alphonse aime son nouveau cabinet de travail de couleur havane, les soirées coupées d'écriture et de musique, les promenades d'amoureux dans le parc avec Julia.

Jules Allard appelle un jour son gendre.

— Ecoute-moi, lui dit-il, très paternellement. Tu travailles comme un forçat depuis deux ans. Julia et toi, vous m'avez caché bien des choses, n'est-ce pas ?

Alphonse semble très gêné. Son beau-père reprend :

— Je sais qu'on te fait des ennuis. Ça ne peut pas durer toute ta vie. C'est trop bête à la fin. Dis-moi franchement ce qu'il te faudrait pour en finir une fois pour toutes avec ces vieilles histoires.

Il rougit un peu :

— Eh bien...

— Dis-moi franchement, tu entends !

Alphonse se jette à l'eau.

— Dix mille francs.

— Tu es sûr ? Dix mille ? Pas plus ?

— Non, je vous le jure.

Ses dettes étant réglées, il se lance avec une nouvelle ardeur dans ce roman que Julia souhaite lui voir écrire depuis longtemps. Ce sujet sur les petits industriels du Marais lui paraît excellent. Il en a déjà trouvé le titre : *Fromont jeune et Risler aîné*, nom d'une firme imaginaire où l'on fabrique des papiers peints.

Il le commence à Champrosay, et avant même d'écrire la

première page, plein de reconnaissance, il le dédie ainsi à ses beaux-parents : « Aux deux poètes Jules et Léonide Allard, témoignage de mon affection et de mon respect filial. »

Ce sont des mois de travail acharné. Julia l'aide. C'est une véritable collaboratrice pleine de ferveur et d'amour. Il écrit comme il dit « d'après nature » et commence son histoire. Son point de départ : Risler aîné a épousé Sidonie, une ancienne ouvrière de l'usine Fromont, égoïste et envieuse qui hait secrètement Claire, la femme de Fromont jeune, l'associé de son mari...

Tout l'incite à écrire un tel livre. Il connaît la fabrique, le petit commerce. Au Marais, plus qu'ailleurs, se perpétuent les meilleures qualités de l'ouvrier parisien. Il connaît aussi les petites vilenies, les procédés sournois, les jalousies de ménage à ménage, l'âpre rivalité des femmes. N'a-t-il pas remarqué tout cela dans sa jeunesse chez son père ? Dans son observatoire de l'hôtel Lamoignon, il est au cœur même de son sujet. Pas le moindre effort pour créer la couleur, l'atmosphère ambiante. Il en est totalement imprégné.

Les personnages sont magnifiquement campés : Frantz, le jeune frère de Risler aîné, Georges Fromont, un dandy idiot, Claire, la charmante épouse de Georges qui ressemble un peu à Julia Daudet, l'illustre Delobelle, vieux cabot épateur qui croit au théâtre jusqu'à son dernier souffle et surtout cette gredine de Sidonie, femme fatale sans cœur qui entraîne la ruine de la maison.

Le manuscrit est finalement accepté par l'éditeur Georges Charpentier qui publie les plus grands auteurs.

Un soir où Alphonse assiste à la première de la pièce de Flaubert *Le Candidat* au *Vaudeville* — pièce qui est aussi un terrible échec —, il rencontre pendant l'entracte son éditeur qui a mis en vente *Fromont jeune et Risler aîné* quelques jours plus tôt. Georges Charpentier est un homme mince, très joli garçon. Sans quelques cheveux blancs mêlés à ses cheveux noirs, on le prendrait pour un adolescent. Il rit volontiers et promet tout ce que lui demande chaque écrivain.

— Eh bien, vous ne savez pas ? Mais votre livre est déjà un grand succès. Tous les libraires de Paris m'en redemandent. Ceux de province aussi. Les premières éditions vont être épuisées et j'en fais tirer tout de suite quinze mille autres exemplaires. Passez donc chez moi demain et présentez-vous au caissier.

A cette première, il rencontre aussi Théodore de Banville qui lui confie :

— J'héberge en ce moment un jeune poète nommé Arthur Rimbaud, qui essuie la boue de ses bottes avec la mousseline de mes rideaux et jette ses vêtements sales dans la cour. Il a du génie mais c'est un être insociable...

Le lendemain matin, de bonne heure, Alphonse se rend à la librairie Charpentier, quai du Louvre. Il y est très bien accueilli. On lui remet une grosse somme, représentant ses droits d'auteur. On lui montre des articles. C'est un concert de louanges, un succès foudroyant.

— Mais ça va plus que bien, plus que très bien, lui confirme son éditeur la mine réjouie. Nous « retirons » tant que nous pouvons.

Fou de joie, il saute dans un fiacre et regarde derrière la vitre Paris, comme il ne l'a jamais regardé. Arrivé chez lui, il monte l'escalier en courant et entre tout essoufflé dans la pièce où se trouve Julia. Il lui lance son argent à pleines mains.

— Nous sommes riches, ma chérie, nous sommes riches.

— Pour combien de temps ? lui demande-t-elle en souriant.

Les dimanches chez Flaubert, rue Murillo, Guy de Maupassant les a vécus et racontés. Il a vu face à face le fragile Alphonse Daudet et Flaubert, ce géant. Il nous les montre :

« Alphonse Daudet apporte l'air de Paris, du Paris vivant, viveur, remuant et gai. Il trace en quelques mots des silhouettes infiniment drôles, promène sur tout et sur tous son ironie charmante, méridionale et personnelle, accentuant les finesses de son esprit verveux par la séduction de sa figure et de son geste et la science de ses récits, toujours composés comme des contes écrits. Sa tête, jolie, très fine, est couverte d'un flot de cheveux d'ébène qui descendent sur les épaules, se mêlant à la barbe frisée dont il roule souvent les pointes aiguës. L'œil longuement fendu, mais peu ouvert, laisse passer un regard noir comme de l'encre, vague quelquefois par suite d'une myopie excessive. Sa voix chante un peu ; il a le geste vif, l'allure mobile, tous les signes d'un fils du Midi...

« Le petit salon déborde. Des groupes passent dans la salle à manger. C'est alors qu'il fallait voir Gustave Flaubert. Avec des gestes larges où il paraissait s'envoler, allant de l'un à l'autre d'un seul pas qui traversait l'appartement, sa longue robe de chambre gonflée derrière lui dans ses brusques élans comme la voile brune d'une barque de pêche, plein d'exaltations, d'indignations, de flamme véhémente, d'éloquence retentissante, il amusait par ses emportements, charmait par sa bonhomie, stupéfiait souvent par son érudition prodigieuse que servait une surprenante mémoire, terminant une discussion d'un mot clair et profond, parcourait les siècles d'un bond de sa pensée pour rapprocher deux faits de même ordre, deux hommes de même race, deux enseignements de même nature, d'où il faisait jaillir une lumière comme lorsqu'on heurte deux pierres pareilles. »

Tous les amis de Flaubert sont là : Maupassant, son disciple, Tourgueniev, Edmond de Goncourt, Taine, Catulle Mendès, Huysmans, José Maria de Heredia et Emile Zola.

— Merci, dit Alphonse Daudet à ce dernier, j'ai apprécié votre courage. Vous vous êtes battu pour faire paraître cet article sur mes *Contes du Lundi*. Quelle crânerie et quelle loyauté !

Il est surpris d'entendre Zola lui répondre avec un petit cheveu sur la langue.

Flaubert s'approche d'eux.

— Mon cher Alphonse, vous savez que j'adore les canulars. J'ai décidé d'organiser le « dîner des auteurs sifflés ». Nous sommes quatre à avoir éprouvé au théâtre une satanée déception : Edmond de Goncourt avec *Hen-*

riette Maréchal, Zola avec *Les Héritiers Rabourdin*, vous avec *L'Arlésienne*, moi avec mon malheureux *Candidat*.

— Excellente idée, répond Edmond de Goncourt, lassé d'avoir œuvré sans gloire en précurseur inconnu.

Il va très vite devenir l'un des meilleurs amis des Daudet.

— Julia et moi, lui dit Alphonse, nous avons été parmi ceux qui ont applaudi comme des forcenés votre *Henriette Maréchal*. C'est même ainsi que nous nous sommes connus... Croyez-moi, nous n'oublierons jamais ce jour.

La charmante Julia, un peu éberluée par cette réception et tous ces gens célèbres qu'elle y a rencontrés, a du mal à retenir un sourire.

Un peu plus tard, répondant à leur invitation, Edmond de Goncourt ira déjeuner à Champrosay chez ses nouveaux amis et notera dans son *Journal* :

« Daudet habite une grande maison bourgeoise bâtie dans un petit parc à la dix-huitième siècle. La maison est égayée par un enfant intelligent et beau, sur la figure duquel se trouve, joliment mêlée, la ressemblance du père et de la mère... Daudet se laisse aller à me parler de la prose, des vers de sa femme... Cette petite femme tient du phénomène et je la soupçonne d'être l'artiste du ménage. Elle est vraiment très extraordinaire, Julia Daudet. Je n'ai jamais rencontré un être, homme ou femme, qui ait si bien lu qu'elle, qui connaisse aussi à fond les moyens d'optique et de coloration, la syntaxe, les tours, les ficelles de tous les militants de l'heure présente, qui puisse en un mot faire du Flaubert ou du Goncourt... Le soleil tombe, on monte en canot, et l'on disserte, et l'on esthétise encore... »

Quelques jours plus tard, un deuil cruel frappe Alphonse. Son père Vincent Daudet vient de mourir. Il écrit à son cher Tim :

« Nous revenons du cimetière enterrer notre père. Je vous écris encore tout abattu par les nuits de veillées, l'horreur du dernier adieu, la musique noire, la cérémonie. Vous êtes le seul à qui, dans ma tristesse, j'ai voulu annoncer cela autrement que par un billet imprimé, car vous êtes mon seul ami hors Paris. »

Il pense au délicieux Fontvieille, à sa chère Provence que Vincent Daudet aimait tant, à ce moulin-refuge, à la Crau où les mûriers, les amandiers, les pins, composent un étonnant décor. La Crau, aussi étrange que la Camargue. A ce petit bois de pins sous les ombrages duquel il aime écouter la musique du vent et le tintamarre incessant des cigales.

VI

En cette année 1875, Thiers a disparu du pouvoir. Soutenu par une partie importante du Parlement, le comte de Chambord a cru venue son heure. Mais il s'est montré trop intransigeant et a finalement perdu toutes chances de devenir un jour Henri V. Le maréchal de Mac-Mahon a été élu président de la République. Il vient d'inaugurer le nouvel opéra de Garnier. Tout le Boulevard se retrouve chez *Tortoni*, le café à la mode éclairé par des becs de gaz papillotant. Après bien des épreuves, la France réapprend à sourire. On danse la valse et la polka.

Fromont jeune et Risler aîné a connu un éclatant succès. La critique a été excellente, la vente aussi. Le livre a été traduit dans toute l'Europe. Ce succès a entraîné une nouvelle mise en vente des œuvres précédentes. Brusquement, on a réédité *Le Petit Chose*, les *Lettres de mon moulin, Tartarin de Tarascon*, les *Contes du Lundi*. Le public a découvert vraiment Alphonse Daudet.

Avec Julia, il continue à beaucoup sortir. Ils assistent souvent à des premières, vont dans des brasseries écouter de la musique tzigane dont il raffole. Ils sont jeunes, insouciants et heureux. On commence à connaître ce couple fascinant qui vit un grand bonheur.

La princesse Mathilde, qui a lu avec plaisir *Fromont jeune*, n'a pas oublié le jeune poète des *Amoureuses*. Elle demande à Edmond de Goncourt de le faire venir chez elle.

Elle possède à Saint-Gratien un petit château entouré d'un parc au bord du lac d'Enghien. Fille du roi Jérôme, elle a refusé d'épouser son cousin Louis-Napoléon. Les années ont passé. La débâcle a emporté l'Empire mais son salon, où elle reçoit un grand nombre d'artistes et d'hommes de lettres, a survécu. Flaubert l'adore et elle le lui rend bien.

Dans la voiture qui les conduit à Saint-Gratien, Julia est un peu intimidée. Son mari la rassure. Il a passé tant d'années dans l'ombre de Morny. Il est en pays de connaissance.

Quand ils se présentent tous les deux devant la princesse, celle-ci leur dit avec une grande simplicité :

— Je suis heureuse de vous connaître enfin. Votre carrière m'intéresse depuis longtemps.

— Je suis très honorée, Altesse Impériale, bredouille Julia.

Ici, les abeilles et les aigles abondent. Tous les fauteuils ont l'air de sortir de la Malmaison. Sur ce salon plane le souvenir des années insouciantes du Second Empire, des robes à crinoline et des réceptions brillantes aux Tuileries. Pourtant, des républicains sincères ne dédaignent pas d'y venir. Taine, le premier, qui est un familier de la princesse.

Le succès de *Fromont jeune* a beaucoup encouragé Alphonse. Levé de bonne heure, il s'assied à son bureau et s'attelle à sa besogne, comme ses voisins, les artisans du Marais. Lui, il fabrique des contes, des nouvelles, des pièces de théâtre, des romans.

Julia le guide, le surveille et le conseille. C'est une épouse incomparable qui a aussi un joli talent d'écrivain.

Ils ont changé d'appartement et en occupent un, plus grand, sur le même palier où leur jeune fils Léon a sa chambre. Un double et tendre labeur. D'un côté la table longue du mari, de l'autre le petit bureau de la femme.

« Notre collaboration, a-t-elle expliqué, un éventail japonais ; d'un côté sujet, personnages, atmosphère ; de l'autre, des brindilles, des pétales de fleurs, la mince continuation d'une branchette, ce qui reste de couleur et de piqûre d'or au pinceau du peintre. Et c'est moi qui fais ce travail menu, avec la préoccupation du dessus et que mes cigognes envolées continuent bien le paysage d'hiver ou la pousse verte aux creux bruns des bambous, le printemps étalé sur la feuille principale. »

Comme elle est subtile et modeste !

Jules et Léonide Allard viennent les voir souvent et s'en retournent effrayés en s'écriant :

— Ce n'est plus une maison, c'est une usine à livres !

Alphonse Daudet a décidé d'écrire un nouveau roman, *Jack*, l'histoire d'une femme naguère entretenue, mariée à un homme de lettres médiocre. Jaloux du passé de cette femme, pour se venger, cet homme a décidé de faire de l'enfant qu'elle a eu d'une précédente liaison un ouvrier. Mais le malheureux Jack se tirera de toutes ces épreuves.

Dans ce roman, Alphonse Daudet peindra les bohèmes qu'il a connus, le peuple des faubourgs avec lequel il a vécu comme garde national, les cocottes qu'il a fréquentées.

Il a besoin aussi de se documenter, de voir des lieux qui serviront de décors à certaines parties de son histoire. Pour lui, la vie ne se sépare pas de la littérature. Toujours avec Julia, il part pour Indret, entre Nantes et Saint-Nazaire, où existe un centre métallurgique qui fera l'affaire. Dans cette île usinière, il trouve tous les renseignements techniques qu'il recherche. Julia pose aussi des questions, prend des notes. Elle vit autant que son mari cette nouvelle aventure. Elle participe activement au découpage de ce roman.

Il veut faire de ses livres des documents sur la vie mais sa fantaisie, sa tendresse, sa poésie enveloppent de grâce les images tristes et les exorcisent par un optimisme souriant.

Ils profitent de ce voyage pour visiter la Bretagne. Ils

vont assister aux régates dans l'île de Houat, près de Belle-Isle, se reposent quelques jours à Quiberon.

A Quiberon, Julia retrouve ses racines. Sa famille est originaire de Pontivy. Ils descendent à l'*Hôtel Penthièvre*, tenu par la famille Pouligner et qui a l'allure d'un fortin carré. « Des plafonds bas, infiltrés de moisissures, un baldaquin étouffant au-dessus d'un lit-bateau mangé aux vers. » Le matin, en se réveillant, ils regardent « la petite place grise devant l'église romane, au porche écrasé, de vieux Bretons s'accostant dans le brouillard avec des grognements de phoques... ».

C'est un jour d'été torride. L'ombre des goélands fleurit l'espace ruisselant de lumière. Le petit Léon joue sur le sable. Pendant ce temps, ses parents ne parlent que de l'histoire du pauvre Jack. Julia suggère ; Alphonse écoute.

Dans l'existence régulière qui est la sienne à présent, il oublie sa jeunesse fiévreuse, ses fringales amoureuses d'autrefois. Il ne vit que pour Julia. Avant de la connaître, il a écrit des choses charmantes, émouvantes mais un peu minces. C'est elle qui l'a persuadé de créer des romans plus solides, très documentés, de rivaliser avec Emile Zola. Il veut étonner sa femme et travaille comme un fou.

Avant même que le manuscrit soit achevé, *Jack* va paraître en feuilleton dans *Le Moniteur.* Paul Dalloz, le directeur, leur ami fidèle et témoin de leur mariage, qui les soutient depuis des années avec une tendre affection, a été enthousiasmé par cette histoire.

La dernière page achevée, Alphonse s'arrête, complètement épuisé. En moins de trois ans, il vient d'écrire les *Contes du Lundi, Fromont jeune* et *Jack.* Il dit dans une lettre à Timoléon Ambroy :

« Je viens de terminer un énorme travail. Je suis esquinté, bouffi de mauvaise graisse, vidé. J'ai besoin d'air, d'étendue, de silence, de repos. Serez-vous à Fontvieille dans les premiers jours d'octobre ? Pouvez-vous nous abriter une semaine, Julia, l'enfant et moi ? Nous quittons Paris vers la fin du mois ou les premiers jours du mois prochain. Nous nous arrêterons à Arles, Marseille et peut-être Monaco... »

Fontvieille, le moulin, la paix, le soleil, le refuge dont il rêve « là-bas ».

C'est un nouveau voyage de noces. La « doyenne » du mas n'est plus là pour recevoir ses hôtes. Elle s'est éteinte quelques mois plus tôt. Timoléon et ses frères s'emploient de leur mieux à la remplacer. Le Maire, l'Avocat, le Consul, le Notaire, sont cette fois d'une exquise prévenance avec Julia. Ils rivalisent d'attention et de gentillesse. Mais depuis la mort de leur mère, c'est entre eux la discorde et Alphonse a pris ouvertement parti pour Tim.

Tim n'a jamais mordu ni aux livres de Zola ni à ceux de Flaubert. Les caprices de la mode intellectuelle n'ont sur lui aucune influence. Au risque de contrarier Alphonse, il lui avoue que pour lui les romans de Flaubert sentent le moisi et le renfermé. A propos de Zola, il est encore plus sévère.

— Ecoute, Tim, *L'Assommoir*, c'est épatant.

— Tu trouves ça drôle l'histoire d'un pochard qui tombe d'un toit et d'une blanchisseuse qui se prostitue ? A Paris, il est possible que ces saletés fassent les délices de la société instruite et cultivée. Ici, à Arles, ça nous répugne !

Ils boivent du vermouth clair et sec que Tim a laissé rafraîchir dans un petit bassin. Ils mangent un superbe aïoli arrosé de tavel.

Les cigales chantent, trouant le silence de la nuit naissante de leur inlassable crincrin métallique. Les cyprès dressent leur silhouette austère sur fond de ciel étoilé. Un parfum suave, musqué par instants, descend des collines chauffées à blanc dans la journée. Les heures filent merveilleusement. Le soir, ils se retrouvent tous dans la grande bibliothèque dallée et fraîche.

Julia devient une vraie « félibréenne » et récite des vers de Mistral. Ils vont aux Baux avec lui et déjeunent dans une auberge. La présence de ses chers amis Aubanel, Roumanille et Félix Gras réveille en Alphonse les souvenirs de sa turbulente jeunesse. La tablée des poètes s'enflamme. Ce sont des chansons du terroir, de vieux noëls, de riches ballades des Iles d'Or. Sa voix chaude et juste domine celle des autres.

Julia a une mine radieuse. Au fond des yeux de son jeune fils se reflètent les beaux paysages poussiéreux et les ruines romanes. Ce sont quelques jours d'intense bonheur.

Jack est un nouveau succès. Alphonse Daudet est à présent vraiment connu. Les journalistes viennent l'interviewer, rue Pavée. Les dessinateurs — son ami Gill en particulier — crayonnent sa silhouette. Il pose devant les photographes, fait la conquête de Nadar qui devient son ami. Son portrait est exposé dans les librairies. Il est devenu très vite populaire. Sa vie devient un chapitre de roman. Ses lecteurs pleurent aux malheurs de ses héros ou rient de leurs aventures cocasses. On compare brusquement *Tartarin* à *Don Quichotte.* En quelques années, Julia, cette riche héritière qui lui a apporté la sécurité, a réussi ce qu'elle souhaitait. Elle a fait du Petit Chose, ce bohème qui crevait de faim, couvert de dettes et de femmes, un homme rangé, un auteur célèbre. Il n'avait que des succès d'estime. Il connaît maintenant le succès tout court.

Après la parution de *Jack*, il reçoit cette lettre de Frédéric Mistral :

« Tu montes de chef-d'œuvre en chef-d'œuvre. Ton *Jack* est délicieux, émouvant, plein de charme, de profondeur et de force. Aux paysages les plus vrais, aux scènes de mœurs les plus naturelles, tu mêles, sans t'en douter peut-être, une émotion particulière qu'on ne rencontre que dans tes livres. Il n'y a pas une de tes phrases qui ne soit vécue, et pas une de tes descriptions qu'on ne sente sincère. Cette véracité, cette bonne foi de toutes tes œuvres explique ton triomphe et ton ascension continue...

Va donc, mon vieux brave ! Tu es maître, commande, et la lumière se fera. Je t'embrasse et te prie de saluer de ma bonne part Karl Steen. »

En voyant les derniers mots de cette lettre, Julia sourit.

Alphonse apprend aussi qu'après avoir lu *Jack*, George Sand a été tellement émue qu'elle est restée trois jours sans pouvoir écrire elle-même une ligne...

Quelques mois plus tard, Mistral annonce à ses amis son prochain mariage avec Marie Rivière, « une belle jeune fille de dix-neuf ans ». Il leur demande d'assister à ses noces qui auront lieu à Dijon « qui n'est jamais qu'à cinq heures de train express de Paris ».

« Depuis tant de temps que j'erre au gré du vent, je finissais par me languir ; j'ai trouvé enfin l'incarnation de ce que je cherchais dans *Mireille* et dans *Esterelle*... C'est te dire que je fais un remariage de poète », écrit-il en provençal.

Ils acceptent avec joie l'invitation de leur ami mais au dernier moment, Alphonse ne peut assister à ce mariage.

« Il m'arrive un ennui, une grande peine. Je ne peux aller à ton mariage. Après nous être préparés à cela comme une fête, tu penses quel brisecœur. Je suis retenu à Paris jusqu'à la fin du mois pour une misérable affaire dont je ne t'entretiendrai pas ; sache seulement que ma femme et moi sommes désolés. Je t'aurais écrit il y a trois jours, mais je viens de passer ces trois jours dans un tourbillon. C'était la première de *Fromont jeune* !... »

Cette première a eu lieu au *Vaudeville* avec un grand succès. Mais un certain Klein, collaborateur au *Petit Journal*, revendique des droits sur l'adaptation. Il a même fait un procès dont il sortira débouté.

Alphonse publie aussi *Les Femmes d'artistes*, un très joli recueil de nouvelles. Pour lui ce sont les ménages d'artistes qui offrent le plus d'exemples d'unions malheureuses. « Pour nous tous, peintres, poètes, sculpteurs, musiciens qui vivons en dehors de la vie, occupés seulement à l'étudier, à la reproduire, en nous tenant toujours un peu loin d'elle, comme on se recule d'un tableau pour mieux le voir, je dis que le mariage ne peut être qu'une exception. »

Pour soutenir sa thèse, il utilisera des histoires vécues. Celle entre autres du compositeur Ferdinand Poise, ce Nîmois auquel il était lié par une amitié d'enfance et qui vécut un tragique amour avec Antonia Pessina, une fort belle Italienne.

Se reconnaissant dans ce récit, le compositeur s'est fâché lui aussi avec son ami.

— Ah ! pauvres femmes d'artistes ! dit Alphonse. Mais la mienne, tellement artiste elle-même, a pris une telle part à tout ce que j'ai écrit. Pas une page qu'elle n'ait revue ou retouchée, où elle n'ait jeté un peu de sa belle poudre azur et or.

Cet été-là, Auguste Renoir vient passer quelques jours à Champrosay. Il fait une chaleur caniculaire. Alphonse a connu Renoir chez le peintre Corot, à l'époque où celui-ci habitait Ville-d'Avray. Il l'a revu souvent chez son éditeur Georges Charpentier dont le salon de la rue de Grenelle rassemble alors l'élite de la société parisienne.

Renoir a le même âge qu'Alphonse Daudet. Fils d'un tailleur à façon, apprenti décorateur sur porcelaine à treize ans, ouvrier peintre sur éventails, il a commencé à peindre à l'âge de seize ans et il a connu Monet, Sisley, Cézanne, Pissaro dans l'atelier de Gleyre. Refusé au Salon de 1864, reçu à celui de 1865, de nouveau refusé en 1866, il est assidu aux soirées du *Café Guerbois* autour de Manet, parmi la jeunesse anti-académique. Zola approuve sa tendance à puiser ses sujets dans la vie contemporaine. Alphonse Daudet adore ses claires figures de canotiers et de baigneuses peintes en plein air sur les bords de la Seine, notamment à *la Grenouillère.* Cette même année, Renoir a organisé à l'hôtel Drouot une vente de ses œuvres mais n'y a pas trouvé un seul acheteur.

— Cet échec sera compensé par l'appui que t'apportera désormais Georges Charpentier, lui dit Alphonse. Sa femme Marguerite m'a beaucoup parlé de toi. Elle rêve que tu fasses un jour son portrait avec ses enfants.

Renoir apprécie le calme de Champrosay. Il se plaît beaucoup dans la propriété où vivent ses amis.

— Tu as épousé une perle. Prends garde de ne pas la perdre ! Elle est si jolie que j'ai envie de faire tout de suite son portrait.

Et il entreprend, presque dès son arrivée, ce portrait, le plus beau qu'il ait jamais peint. Par cette chaleur, les séances de pose sont pénibles mais Julia reste souriante. Il peindra aussi leur jeune fils dans un sarrau couleur de sable, debout sur les marches du perron.

— Il ne suffit pas à un peintre d'être un habile ouvrier, dit-il. Il faut qu'on voie qu'il aime peloter sa toile.

Dans le portrait qu'il fait de Julia, il y a quelque chose qui rappelle Rubens : les yeux prennent toute leur valeur par contraste avec les tons légèrement assourdis de sa chair. Comme dans un Vélasquez, il donne sa pleine valeur au noir des vêtements au lieu de gaspiller cette « reine des couleurs » en l'utilisant pour tracer de lourdes ombres.

Ils déjeunent dans le jardin, canotent ensemble sur la Seine. Renoir regarde encore Julia sur la balançoire, si gracieuse dans ce ravissant décor champêtre.

Ils vont rendre visite au peintre Rosa-Bonheur dont l'atelier se trouve à quelques lieues, à By-Thomery, près de Fontainebleau. C'est une femme très en avance sur son temps. Comme George Sand, elle a demandé au gouvernement l'autorisation de porter des pantalons. Alphonse l'a connue chez Morny qui lui achetait des tableaux. Son *Labourage nivernais* est célèbre. C'est une solitaire follement amoureuse de la nature.

Elle a deux passions : les arbres de la forêt toute proche et les fauves. Elle part très tôt le matin prendre des croquis dans les sous-bois les plus somptueux. Elle a installé dans les communs de la demeure où se trouve son atelier une ménagerie où elle va longuement contempler ses lions favoris. C'est aussi un peintre animalier remarquable. Quelques années plus tôt, l'impératrice Eugénie est venue en personne lui remettre la Légion d'honneur.

— Elle m'a ensuite invitée au château de Fontainebleau, explique-t-elle attendrie par le souvenir de ces jours anciens. Napoléon III m'avait placée à sa droite pendant le déjeuner. L'Impératrice me proposa ensuite une promenade en barque sur l'étang. Elle ramait elle-même. A un moment, nous aperçûmes le Prince Impérial sur la rive. Eugénie s'approcha et me présenta. « Voici Mme Rosa-Bonheur qui a chez elle une étrange ménagerie. » Et plusieurs fois, le jeune prince vint chez moi contempler mes lions.

L'œil d'Alphonse s'allume. Depuis son voyage en Algérie, dès qu'on parle de lions...

Dans son coin, Julia envie ce peintre célèbre :

« Quelle chance elle a eue de réussir ! Dans l'art rien n'est possible pour une femme ! »

VII

Le « dîner des auteurs sifflés » devient vite une habitude, une joyeuse tradition. Flaubert, Goncourt, Zola et Daudet se retrouvent au *Café Riche*. Flaubert a demandé à Tourgueniev d'y participer. Il paraît que « le Moscove », comme il l'appelle, a connu un échec au théâtre, en Russie. Mais personne n'en est très sûr. Et si ce n'était qu'un gentil prétexte pour avoir près de lui son ami ?

Tourgueniev, c'est le doyen. Il a cinquante-sept ans. A peine à table, il parle lentement, d'une voix douce, hésitante. Flaubert l'écoute religieusement, fixant sur lui son large œil bleu.

Daudet et Zola ont trente-cinq ans. Ils sont myopes tous les deux. Devant leurs aînés, ils jouent encore aux enfants terribles et nomment familièrement entre eux Flaubert « le Vieux » — il a cinquante-cinq ans. Ils se chamaillent assez souvent. Surtout à cause de la peinture. Leur seul point d'accord, c'est Renoir.

Zola est de taille moyenne, à la fois bonhomme et obstiné. Son regard noir, volontiers ironique, fouille ses interlocuteurs. Il trouve Alphonse nerveux et trop sensible. Son élégance, sa distinction, ses idées l'agacent un peu. Il déteste Goncourt qui le lui rend bien.

— Quel animal ce Zola ! répète souvent Goncourt.

D'autres fois, les « auteurs sifflés » vont rendre visite

à Flaubert dans son ermitage de Croisset, près de Rouen. C'est toute une expédition. Pendant le voyage en chemin de fer, ils bavardent gaiement. De littérature bien sûr ! A la gare, ils prennent une calèche et arrivent bientôt devant une jolie maison blanche plantée au bord de la Seine, au milieu d'un magnifique jardin.

Julie, la vieille servante, leur ouvre la porte. Un succulent repas les attend. Flaubert ne cesse de pester contre la Bêtise, l'éternelle Bêtise. Il veut en faire une anthologie qui suivra *Bouvard et Pécuchet*. Il hurle aussi contre les bourgeois.

— J'appelle bourgeois quiconque pense bassement.

Tous les préjugés, toutes les banalités l'exaspèrent.

— Quand je sors d'un salon où la médiocrité des propos a duré tout un soir, je rentre affaissé, accablé, comme si l'on m'eût roué de coups, devenu moi-même idiot. La sottise mondaine me fait terriblement souffrir, mes amis.

On boit. On s'exalte. Flaubert comprend d'autant plus la sensibilité aiguë d'Alphonse, qu'il est lui-même un écorché vif que la moindre fausse note fait bondir.

Après le déjeuner, ils descendent dans le jardin et se promènent le long d'une grande allée bordée de tilleuls. Tous contemplent rêveusement les herbages, pleins de vaches rousses et la Seine toute proche où passent les navires qui remontent vers Rouen.

— Pourquoi n'avez-vous pas amené Julia ? demande Flaubert. Elle me plaît beaucoup. C'est une femme pleine de charme et qui sait ce qu'elle veut. Elle a un beau brin de plume et de si jolis yeux verts !

Alphonse a commencé un nouveau roman : *Le Nabab*. Il vient de quitter la rue Pavée mais toujours fidèle au Paris d'Henri IV, s'installe 18, place des Vosges.

Composé autour d'un portrait facilement reconnaissable, celui du duc de Morny, qu'il appelle dans cette histoire Mora, *Le Nabab* rappelle un épisode cosmopolite du Paris de 1864. Alphonse a connu le vrai Nabab. Il en fait le personnage de Bernard Jansoulet qu'une bande de gredins et de viveurs entoure et gruge. L'ambiance du Second Empire enveloppe ce roman. Le portrait de Mora est celui d'un Morny merveilleux de fidélité et de ton. Le journaliste d'affaires Moëssart, le médecin marron Jenkins, le noble décavé Monpavon sont admirablement campés. Jansoulet se laissera abattre par ses ennemis. Il ne se défendra pas de peur de déshonorer son frère. L'épisode de la séance à la Chambre est pathétique. Il est sublime ce gros homme au bord du gouffre qui se tait, alors qu'une seule phrase pourrait le sauver. Cette société qui a tout sacrifié au profit et au plaisir finira dans le sang et les flammes.

Rapidement, Julia et Alphonse Daudet vont devenir les intimes d'Edmond de Goncourt. Ils déjeunent chez lui à Auteuil, il se rend place des Vosges dans leur nouvel appartement. Julia regarde ses longs cheveux grisâtres, comme décolorés, sa moustache un peu plus blanche, ses yeux aux pupilles étrangement dilatées. C'est un gentilhomme du meilleur monde. Il n'a qu'une manie : un tabac spécial qu'il emporte partout avec lui.

Ce célibataire habitué aux restaurants trouve un charme réchauffant à la fréquentation de ce ménage d'artistes. Il a très vite chez eux son fauteuil favori où il aime à ronronner. Alphonse lui rappelle son propre frère Jules, mort quelques années plus tôt. Il lui trouve la même sensibilité, la même distinction.

On ne compte pas les amitiés et les brouilles des Goncourt, gens difficiles. Leur *Journal* est plein de propos acides et ronchons. La mort de son frère a laissé Edmond désemparé. La guerre, la Commune l'ont accablé, accentuant sa mélancolie, son dégoût de la sottise et de la grossièreté humaines, blessant son patriotisme. Il est foncièrement misogyne. Il a toujours tenu la femme pour dangereuse dans la vie d'un homme de lettres. Mais il apprécie beaucoup le talent de Julia et aime sa spontanéité.

Il prend bientôt auprès du couple la place d'un parent plus âgé que l'on entoure de prévenances, d'admiration aussi pour son œuvre. Chez eux, il joue le rôle agréable du vieil ami de la famille. Dès qu'un de ses livres paraît, Julia-Karl Steen en parle avec éloges dans sa chronique du *Journal Officiel.*

Au moment de la publication de *Fromont Jeune,* il a porté lui-même ce livre chez la princesse Mathilde et il en a fait la lecture à haute voix. Cette même année, il donne corps à son vieux projet de créer son académie : Alphonse Daudet y figurera en bonne place. Dès 1874, la première liste de la future Académie Goncourt contient son nom.

En littérature, les deux hommes ont les mêmes idées. Ils aiment l'un et l'autre le réalisme dans le roman et trouvent que le naturalisme va parfois un peu loin.

— Si réaliste que l'on soit, on recule quelquefois devant le réel, dit souvent Alphonse.

Julia et Alphonse se plaisent beaucoup place des Vosges où ils occupent une aile de l'ancien hôtel de Richelieu. Quel prodigieux bond en avant pour le Petit Chose ! Le bohème s'est sérieusement embourgeoisé. Il vient de faire installer une salle d'armes et il croise le fer avec ses amis et son jeune fils de dix ans. Cela sera très utile à Léon plus tard !

Mais, rançon du succès, il travaille pendant plus de huit mois à son *Nabab,* parfois dix-sept heures par jour, restant des semaines sans mettre le nez dehors. Il mange à peine, dort très peu, se lève à quatre heures du matin. Son seul excitant : une ablution d'eau fraîche. Il s'assied à son bureau, couvre les pages de sa petite écriture serrée, nerveuse, élégante. Il vit avec ses personnages comme avec des amis. Il rature courageusement et fréquemment. Un premier brouillon, du premier jet, sert de canevas. Julia et lui reprennent ce « monstre ». Elle se montre un censeur sévère.

— Sans toi je me serais abandonné à la facilité, lui avoue-t-il.

Le soir, après le dîner, il se remet à écrire. Il est écrasé par la fatigue. Il désespère de venir jamais à bout de ce livre. Hagard, il titube.

Une nuit, il suffoque. Il sent quelque chose de gluant dans sa bouche. C'est un caillot de sang. Affolé, il appelle Julia et perd connaissance. Elle s'épouvante, parvient à le ranimer. Quand il revient à lui, les yeux et les idées brouillés, il a du mal à parler. Sa tête retombe, inerte et pesante.

— Il faut absolument t'arrêter, lui dit sa femme. N'oublie pas que ce travail d'écriture a tué Jules de Goncourt à quarante ans.

Le jour de ses envois d'auteur, il demande à Julia de l'accompagner à la librairie Charpentier. Il veut lui faire une surprise. Il lui montre la dédicace qu'il a fait imprimer en tête de son livre :

Au collaborateur dévoué, discret, infatigable, à ma bien-aimée Julia Daudet, j'offre avec un grand merci de tendresse reconnaissante ce livre qui lui doit tant.

Elle rougit, pâlit, ses yeux se gonflent de larmes. Elle trouve l'éloge excessif et proteste :

— C'est trop. Je pense que c'est maladroit. Méfie-toi des jaloux, des envieux. Tu as eu déjà à en souffrir, mon chéri. Quels bruits va-t-on encore colporter ?

Elle finit par le convaincre. Sur les éditions suivantes, il mettra tout simplement : *A ma chère femme.*

Quand *Le Nabab* paraît, c'est un triomphe. On parle de roman à clé. On fait des rapprochements pour identifier les personnages. Les uns se fâchent d'être reconnus, les autres se plaignent de ne pas l'être. C'est un succès de scandale aussi. On accuse Alphonse Daudet d'ingratitude envers Morny, d'avoir fait de son ancien protecteur un portrait-charge. Tout ce remue-ménage contribue au succès du livre.

Il dira plus tard à son fils Léon :

— Je suis certain de n'avoir pas écrit une ligne du *Nabab* qui eût déplu au duc vivant. Je ne me mêlais pas des affaires. J'occupais une sinécure d'homme de lettres. J'étais alors insouciant et fantasque comme la plupart de mes contemporains. Je n'eus comme soupçon des choses terribles et sournoises qui se préparaient qu'un frisson de poète à la première de *La Belle Hélène,* où les dieux de l'Olympe bafoués, le grincement de l'archet d'Offenbach me parurent un présage de catastrophe. Quelle catastrophe ? Je l'ignorais. Mais je rentrais chez moi, troublé, anxieux, comme au sortir d'une atmosphère malsaine. Quelques mois plus tard, je compris.

VIII

Comme le temps a galopé ! A trente-sept ans, Alphonse Daudet est un auteur célèbre, traduit partout. Les journaux entretiennent sans cesse sa légende. Nadar le photographie dans son atelier. Goncourt, Zola sont ses amis. Dans un article, Barbey d'Aurevilly vient de le comparer à Balzac. Victor Hugo le reçoit chez lui. Et Flaubert s'écrie en tapant du poing sur la table :

— Alphonse, on ne peut que l'aimer !

Quelques années plus tard, l'évoquant à cette époque, Marcel Proust écrira :

« La gloire de ce front où la chevelure est partagée en deux ailes puissantes et légères est celle d'un dieu ou d'un roi. M. Daudet est un roi, un roi maure, au visage énergique et fin, comme le fer d'une sarrazine. »

Un jour, dans un salon où il est venu sans sa femme, ce roi va retrouver une reine. C'est Julia Bartet, la créatrice de *L'Arlésienne.* Il l'a perdue de vue depuis des années. Il a toujours aimé les comédiens, tiraillés entre la scène où ils jouent les héros et la vie de tous les jours où ils souffrent plus que les autres.

L'actrice lui sourit d'une manière charmante et des souvenirs lui reviennent. Le soir de la première. Georges

Bizet et lui adossés contre un portant des coulisses, frémissants et pâles, de cette pâleur des soirs de première. Le désastre de cette pièce qui s'effondrait dans l'indifférence et l'ennui. Bizet qui ne cessait de répéter d'une voix navrée : « Ils n'écoutent pas. Ils n'écoutent pas... » Et Julia Bartet dont il disait : « Elle est divine. »

Ce surnom lui est resté. Ne l'appelle-t-on pas déjà la « Divine » ?

— Quels souvenirs ! Vous étiez une jeune actrice exquise et inconnue. Vous aviez prêté à mon personnage de Vivette des accents merveilleux pour dire à Frédéri : « Cela m'empêchait de te croire, mais ça ne m'empêchait pas de t'aimer. »

Elle le regarde d'une façon étrange, comme si elle était émue de le revoir.

— Cette première fut atroce. Tous ces murmures dans la salle ! Bizet et vous qui preniez la fuite. Je n'ai rien oublié.

— C'est vrai. Je me revois courant sur le boulevard à la recherche d'un fiacre pour nous y cacher.

Elle sourit.

— Oui. Vous étiez si désespéré. Mais n'ayez crainte. Bientôt on reprendra votre pièce. Elle aura le succès qu'elle mérite. Le triomphe.

— Vous croyez ?

— Bien sûr. Ce pauvre Bizet est mort de chagrin. Mais depuis, il est devenu un classique. Son nom est beaucoup plus connu qu'il y a cinq ans.

Il hoche la tête.

— C'est vrai, le public aime par-dessus toutes choses la sécurité dans le plaisir.

Julia Bartet a brusquement un sourire navré.

— Ils n'écoutaient ni la musique de Bizet que jouait à miracle le tout petit orchestre de Constantin, ni votre drame défendu par des acteurs qui y mettaient toute leur flamme.

— Vous la première. Vous étiez si charmante dans le rôle de Vivette où vous débutiez. Depuis, vous avez fait du chemin.

Elle s'approche de lui, sensible à son compliment.

— Vous aussi... Comme j'ai aimé votre roman *Fromont jeune* ! Vous avez su y parler de l'amour, de la passion avec une merveilleuse connaissance des choses du cœur.

— Vous lisez mes romans ? Vous ne m'en voulez pas trop ?

— Mais de quoi ?

— De ce premier échec auquel vous fûtes associée. Pour vos débuts ! C'était si navrant. Je me souviens que vous étiez prête à pleurer dans les coulisses, près de moi. J'avais envie de vous prendre dans mes bras, de vous réconforter. Vous étiez si fragile, si touchante.

Elle semble étonnée et troublée. Il continue :

— Quand le rideau est tombé ce soir-là au *Vaudeville*, il n'y a guère eu de rappels ! Villemessant hurlait dans sa loge. Il trouvait qu'il n'y avait dans cette pièce que des vieilles femmes. Vous étiez là pourtant !

— La vie est cruelle parfois. Mais maintenant, vous êtes bien vengé, n'est-ce pas ? Quel succès ! J'ai lu *Jack* qui m'a fait pleurer, *Le Nabab* qui m'a passionnée. Quelle étonnante histoire et comme vous avez su la raconter ! A quand l'Académie ?

Il regarde avec plus d'attention encore la jolie comédienne. L'Académie ? Comment sait-elle qu'il y pense parfois et qu'après le succès du *Nabab* justement, il a été pressenti pour une candidature qui a l'appui du secrétaire perpétuel Jules Sandeau, d'Emile Augier et d'autres auteurs de premier plan ?

Brusquement, on fait silence. Mlle Julia Bartet va dire devant les invités son grand succès : *Les Deux pigeons*. Dans tous les salons on le lui réclame. Elle possède une diction incomparable.

Deux pigeons s'aimaient d'amour tendre
L'un d'eux s'ennuyant au logis
Fut assez fou pour entreprendre
Un voyage en lointain pays...

Elle dit ces vers de La Fontaine, avec une tendre mélancolie. Il la contemple, fasciné...

Quelques jours plus tard, sans reprendre son souffle, il attaque un nouveau roman : *Les Rois en exil.*

En passant sur la place du Carrousel un soir d'octobre, il a été frappé en voyant de lugubres pans de murs se découper en ombres chinoises sur les jardins : les restes des Tuileries demeurés à l'état de vestiges calcinés depuis les incendies allumés par la Commune en 1871.

L'idée lui vient alors de mettre en scène l'histoire de princes chassés de leur pays et réfugiés à Paris. Descendus dans un hôtel de la rue de Rivoli, ils découvriront de leur balcon ces ruines du palais des Tuileries.

Il se souvient aussi de ce monarque exilé, George V, le roi de Hanovre qu'il rencontrait avec sa fille, la princesse Frédérique, lorsqu'il habitait passage des Douze-Maisons. Ce drame l'avait touché. Aveugle, soigné par sa fille, cet ancien monarque détrôné par la Prusse semblait écrasé par la douleur. Tout en marchant près de l'hôtel de Lillers, Alphonse avait raconté avec émotion cette tragique histoire à son frère.

Il pense également au duc de Brunswick, le joyeux fêtard qu'il rencontrait souvent au temps de sa bohème, dans les restaurants de nuit.

Il existe beaucoup d'autres rois en exil à Paris : dona Isabelle II, ex-reine d'Espagne, son neveu don Carlos, duc de Madrid, le prince d'Orange, un viveur qui courtise toutes les cocottes du Boulevard et qu'on appelle « Citron-le-Taciturne », François II, l'ancien roi des Deux-Siciles, sa femme l'ex-reine Marie-Sophie.

Quel excellent sujet de roman ! Très excité par cette idée, il va se lancer dans un long travail préparatoire, une quête passionnée. Il tente de rencontrer toutes ces ex-têtes couronnées, de rechercher tous les documents possibles. Il fait d'innombrables démarches auprès des diplomates accrédités. Il pénètre brusquement dans un monde inconnu de lui jusqu'alors.

Il découvre que le duc régnant de Brunswick, Son Altesse Charles-Frédéric-Auguste-Guillaume, a tellement exaspéré ses fidèles que ceux-ci l'ont reconduit à la frontière, les armes à la main, avec injonction de ne pas reparaître dans le pays.

Il travaille avec un fol acharnement. Jamais une histoire ne l'a autant passionné. Dans *Le Nabab*, il a montré un Paris insouciant, frivole et déchaîné. Dans *Les Rois en exil*, il fera voir une ville convalescente après le drame.

Il s'enferme dans son appartement de la place des Vosges et recommence son labeur intense. Debout à quatre heures, il trouve son cabinet de travail en ordre, ses habits tout préparés et abat la copie, feuillet après feuillet. Julia revoit, corrige, retouche. Il ne s'appartient plus. Il appartient à ses éditeurs, à ses lecteurs.

Cet intense surmenage lui joue encore des tours. Il éprouve d'étranges assoupissements, des tremblements de doigts, des absences d'esprit subites. Quelles fièvres, quelles transes ! Un soir, il crie à sa femme :

— Je n'en peux plus, Julia. Finis mon bouquin.

Il consulte son médecin, le docteur Potain, qui lui ordonne d'aller se reposer au moins un mois à Champrosay.

Champrosay. Le calme. La jolie maison. Les arbres tout autour, la rivière foudroyée par la lumière du soleil.

Un solide gaillard, fervent comme lui de canotage, vient le voir. Il porte un chapeau de paille et un maillot rayé. C'est Flaubert qui a envoyé son disciple pour prendre de ses nouvelles.

Guy de Maupassant n'a pas trente ans. Il est à peu près de la même taille qu'Alphonse Daudet : un mètre soixante-dix.

Celui-ci lui montre tout de suite sa barque *L'Arlésienne* dont il est très fier, sans se douter qu'un jour Guy — qui a toujours vu grand — aura son yacht *Le Bel-Ami* où il promènera sa neurasthénie sur des eaux pacifiques en compagnie de femmes redoutables.

Il lui montre aussi tous ces jolis coins de la haute Seine où, dans son bateau, il a connu des rêveries qui, par la suite, sont devenues celles de ses personnages. Ils aiment tous les deux les rivières, les champs, les bois. Ils ont le même amour de la nature. Ils dépassent Etiolles, Morsang, Corbeil. Ils remontent des affluents qui se perdent dans des propriétés, des parcs ombreux, et parlent de Schopenhauer, le philosophe allemand pour qui ils ont tous deux un goût très vif.

— Cette alliance de l'humour incisif et de la dialectique, ce tissu de raisons noires et d'aphorismes pittoresques, m'enchantent, dit Alphonse.

— Schopenhauer est le plus grand saccageur de rêves qui ait passé sur la terre, répond Guy.

Ils parviennent à un petit bras si étroit, si resserré qu'il leur faut débarquer, porter *L'Arlésienne* sur leurs épaules. Ils se retrouvent dans un jardin. Une jeune fille étonnée interrompt sa lecture, contemple ces canotiers tombés du ciel. Et Maupassant la regarde aussi intensément. Les muscles durs, le sang sous la peau, il a une terrible réputation de séducteur.

Ils viennent à parler du mariage.

— C'est extraordinaire comme on tombe là-dedans facilement, dit Maupassant en souriant. On est bien décidé à ne jamais prendre femme ; et puis, au printemps, on part pour la campagne ; il fait chaud ; l'été se présente bien ; l'herbe est fleurie ; on rencontre une jeune fille chez des amis... v'lan ! C'est fait. On revient marié.

Un peu plus tard, ils s'arrêtent dans une auberge pour boire du cidre bouché.

— Mon cher Guy, Flaubert m'avait dit que vous aimiez aussi le canotage. Je ne pensais pas que vous étiez si fort. Je suis battu.

— Il m'arrive de faire mes vingt lieues de Seine en un jour. Je canote, je me baigne, je me baigne et je canote. Les rats et les grenouilles ont tellement l'habitude de me voir passer à toute heure de la nuit avec ma lanterne à l'avant de mon canot qu'ils viennent me souhaiter le bonsoir.

— Oui, Flaubert me parle souvent de vous. Vous êtes son poulain. Il croit en vous. Il a raison. J'ai lu vos nouvelles. Elles sont superbes.

Il sait que l'auteur de *Boule de Suif* souffre d'un mal étrange, qu'il a déjà d'insupportables migraines, des hallucinations. Pour calmer ses maux, Guy prend de l'éther. Il voudrait le questionner mais il n'ose pas. Il se souvient que Flaubert a dit devant lui au jeune homme :

— Vous vous plaignez du cul des femmes qui est monotone. Il y a un remède bien simple, c'est de ne pas vous en servir... Trop de putains ! Trop de canotage ! Trop d'exercice !

IX

Maupassant, il le retrouvera quelques mois plus tard, à Croisset, sur le seuil de la maison de Flaubert, comme un fils en deuil.

Alphonse Daudet est venu de Paris en compagnie d'Edmond de Goncourt, de Zola, de son éditeur Georges Charpentier qui vient de publier avec succès *Les Soirées de Médan*, un remarquable recueil de nouvelles auquel il n'a pas voulu participer car il s'éloigne de plus en plus de cette école naturaliste dont le patron est Zola.

Flaubert est mort. Lui qui était la vie même, la plus vibrante, la plus tonnante. Il regarde le géant foudroyé veillé par son disciple.

Dehors, il retrouve l'admirable décor, avec Rouen au loin. Ils marchent tous dans le jardin magnifique qui escalade par des chemins rapides la grande côte de Canteleu. Il fait très chaud.

— Il s'est effondré contre le pied de sa table de travail, tué par la littérature, sa seule passion, dit Maupassant.

Edmond de Goncourt est comme brisé par la tristesse. Il ne trouve qu'à répondre :

— Flaubert était avant tout, par-dessus tout, un artiste.

— Il s'était fait dans le pays une sorte de légende autour de lui. On le regardait comme un brave homme un peu toqué dont les costumes singuliers effaraient les yeux et les esprits, reprend Guy. Il aimait ce superbe et tranquille paysage que ses yeux avaient vus depuis son enfance.

La main maigre d'Alphonse Daudet se pose sur la main grassouillette de Zola qui respire difficilement.

Quand il retrouve Julia, il lui raconte cette pénible journée. Le corbillard avec ses tentures, ses chevaux marchant au pas, son balancement doux et funèbre, débouchant derrière les arbres sur la route nue... Elle a les larmes aux yeux. Elle est très sensible. Elle aussi aimait beaucoup Flaubert.

Ils ont encore déménagé. Un second fils leur est né : Lucien, et ils se sont installés dans un appartement plus grand, avenue de l'Observatoire. Fini le Paris d'Henri IV !

Le roman *Les Rois en exil*, paru d'abord en feuilleton dans *Le Temps*, a connu un grand succès. Alphonse l'a affectueusement dédié à Edmond de Goncourt.

La même année, Julia a fait paraître son premier livre, *Impressions de nature et d'art*, recueil de poésies, de souvenirs d'enfance et de chroniques littéraires. Flaubert l'a aimé. Un peu émue, elle vient de relire la lettre qu'il lui a alors envoyée. Elle se terminait par ces mots : « Votre affectueux serviteur et copain. »

Ce livre, elle ne l'a pas signé « Karl Steen », mais de son nom et le critique Jules Lemaître a écrit :

« Mme Alphonse Daudet sait inventer des mots merveilleux. Sa phrase légère et souple a continuellement des trouvailles qui ne semblent point lui coûter et qui sont pourtant les plus précieuses du monde... Quel pourrait être, auprès d'un grand écrivain dont elle serait la compagne, le rôle d'une femme qui aurait ce cœur et cet esprit ? Il arriverait, j'imagine, du fond de son Midi, tout jeune, impressionnable, vibrant à l'excès, avide de sensations qui, chez lui, s'exaspéreraient jusqu'à la souffrance. Il connaîtrait l'enivrement mortel, la vie affolante et jamais apaisée de ceux qui sont trop charmants et qui traînent tous les cœurs après soi... Elle le rencontrerait à ce moment. Elle aurait ce qu'il faut pour le comprendre : l'intelligence la plus fine du beau, le goût de la modernité, une imagination d'artiste — et ce qu'il faut pour le guérir : la santé de l'âme... Elle le prendrait, écarterait de lui les influences mauvaises, lui ferait un foyer, une dignité, un bonheur, et, plus jeune que lui, elle lui serait pourtant maternelle... Sans elle, le « Petit Chose » aurait peut-être continué d'écrire çà et là sur des coins de table d'exquises et brèves fantaisies : elle le forcerait à travailler sans qu'il s'en aperçût et lui ferait écrire de beaux livres. Et elle serait, sans presque y songer, sa collaboratrice : on ne peut vivre un certain temps ensemble sans se ressembler un peu ; tout contact est un échange. »

A cette époque, Alphonse va revoir l'autre Julia, la « Divine ». Engagée à la Comédie-Française, elle y tient avec éclat l'emploi de jeune première, puis les grands rôles de tragédie et de comédie. Elle y interprète *Bérénice* où elle est inégalable, *Andromaque* et Sylvia du *Jeu de l'amour et du hasard*. On est loin de cette représentation de *L'Arlésienne* où, toute tremblante, elle se faisait un peu chahuter par le public.

— Vous apportez dans votre jeu une grâce exquise, une passion chaste, lui dit-il en allant la féliciter dans sa loge.

Il l'invite à souper. Elle accepte avec joie. Paris est très animé, très bruyant ce soir. Sur le Boulevard, les kiosques à journaux dessinent des taches sombres entre les arbres. Le fiacre s'arrête au coin de la rue Laffite, près du *Café Tortoni* très éclairé.

— *La Maison Dorée* à gauche, *le Café Anglais* à droite. Que préférez-vous ?

— *Le Café Anglais*, répond-elle en souriant.

Tout Paris est là, le Paris du Jockey Club, du spectacle et de la noce. Il retrouve avec plaisir ces restaurants de nuit où, d'une table à l'autre, les traits d'esprit fusent et se répandent. Il n'y va presque plus, travaillant sans relâche. En voyant les gens s'amuser autour de lui, il réalise qu'il s'est terriblement embourgeoisé. Il a maintenant plusieurs domestiques, un important train de vie. Brusquement, il se sent bien près de cette jeune actrice qui lui rappelle toutes celles qu'il a connues autrefois.

On le fait entrer dans un petit salon tendu de rouge. Un chandelier est posé sur la table carrée. Douze bougies brillent gaiement. Il écoute la rumeur de ce grand restaurant, le bruit des portes qui laissent échapper les voix des dîneurs. Il se rend compte qu'il plaît toujours aux femmes et qu'il sait leur parler...

— Je n'ai pas de chance avec le théâtre. Mon roman *Les Rois en exil*, adapté au *Vaudeville*, a été accueilli très fraîchement et même sifflé.

— C'est sans doute une cabale. Comme tous ceux qui ont réussi, vous avez des ennemis. On ne vous pardonne pas vos succès, cette gloire qui vous est venue si tôt. Vous n'avez pas fini de susciter leur haine, leur envie.

Il regarde cette femme si belle et si désirable. Il lui prend la main.

— Vous croyez... Julia ?

Julia Bartet avait raison. Un matin, en ouvrant *Les Grimaces*, un nouveau pamphlet hebdomadaire à couverture rouge, il a la surprise de lire un violent article d'Octave Mirbeau, un jeune écrivain querelleur qui désire se faire connaître à tout prix et adore se battre en duel.

« Je ne considère point comme un honnête homme le monsieur qui persiste à faire paraître sous son nom un livre qu'on dit n'être point de lui, un livre d'où lui sont venues la réputation d'abord, la fortune ensuite et cette sorte de gloire au milieu de laquelle il apparaît dans des attitudes ennuyées et méprisantes de demi-dieu. Je veux parler des *Lettres de mon moulin*. On sait aujourd'hui que ce délicieux recueil de contes provençaux est de M. Paul Arène. Et j'ai plaisir à dire carrément ce que tout le monde dit tout bas... »

Alphonse devient blême. Sa main tremble de rage. Exaspéré, il marche de long en large dans son bureau. Voilà donc la calomnie lancée dans le monde des lettres et qui, peu à peu, se répandra partout.

Il connaît Octave Mirbeau. Il sait que c'est un grincheux, un redoutable pourfendeur qui s'est mis en tête d'entreprendre une grande croisade pour redresser les péchés, les tares et démolir les auteurs consacrés.

Que faire ? Lui envoyer ses témoins ? Le rencontrer sur le pré ? Il y pense sérieusement — il n'a pas une salle d'armes pour rien ! Mais quelques jours plus tard, dans le *Gil Blas*, Paul Arène, sous forme d'une lettre à son ancien camarade, fait une mise au point qui l'apaise un peu.

« Mon cher Daudet, puisque, en notre siècle enragé d'exacts documents, il faut mettre les points sur les i et parler chiffres, établissons, une fois pour toutes, et pour n'en plus jamais parler, qu'en effet sur les vingt-trois nouvelles conservées dans ton édition définitive, la moitié à peu près fut écrite par nous deux, assis à la même table, autour d'une unique écritoire, joyeusement et fraternellement, en essayant chacun sa phrase avant de la coucher sur le papier. Les autres ne me regardent en rien ; et encore, dans celles qui me regardent un peu, ta part restera-t-elle la plus grande, car si j'ai pu y apporter — du diable si je m'en souviens — quelque détail de couleur ou de style, toi seul en trouvas le sujet et les grandes lignes... Passe chez moi un de ces jours, car il y a bien longtemps qu'on ne s'est vu, et en attendant “A l'amitié !” comme disent les gens de chez nous lorsqu'ils trinquent. »

En lisant ce texte fraîchement imprimé, Alphonse revoit cette époque joyeuse. Vingt ans plus tôt. La Colonie de Clamart. Paul Arène, petit jeune homme au poil noir, plein de fougue et de talent, débarquant de Sisteron. Ils rêvaient tous les deux de gloire. Ils étaient comme des frères, parlant sans cesse de leur cher pays, se racontant des histoires de « là-bas ». Ils les écrivaient ensemble et les publiaient ensuite dans *L'Evénement* sous le pseudonyme de Marie-Gaston. De Clamart, Arène était monté à Paris et avait publié ensuite des articles dans divers journaux mais ne gagnant pas suffisamment d'argent pour survivre, il était retourné bien à contrecœur dans l'enseignement. Il avait quand même réussi à écrire un chef-d'œuvre : *Jean des Figues*, dont la critique avait parlé en termes élogieux. Ils s'étaient un peu perdus de vue puis retrouvés. Julia l'avait éloigné de cet ami trop bohème, de crainte qu'il ne recommence des frasques avec lui. Elle n'aimait pas ce garçon bruyant, exubérant et trop familier qui adorait choquer et dont les boutades n'étaient pas toujours du meilleur goût. En continuant à le fréquenter, Alphonse craignait aussi de déplaire à ses beaux-parents. Paul Arène venait le voir quelquefois, place des Vosges, un peu gêné par l'accueil glacial de Julia.

— Ça pue l'encre chez toi, disait-il à son ami en riant. Ma parole, on ne te donne à manger que lorsque tu as fini ta copie !

Julia détestait ce genre de plaisanterie.

A cette époque, Alphonse est assez souvent volage. Julia doit à plusieurs reprises lutter et se battre pour garder son mari. Des scènes, des crises de larmes, de nerfs, des drames, du vaudeville.

Une comédienne très connue, héroïne d'une nouvelle de Paul Bourget et qui inspirera plus tard à Marcel Proust un personnage d'*A la recherche du temps perdu*, viendra rôder, folle d'amour, à Champrosay pendant des jours et des jours. De sa fenêtre, Alphonse la voit passer et n'ose broncher, surveillé par son épouse jalouse.

Une autre femme envoie des lettres quotidiennes, des billets parfumés qui exaspèrent Julia.

Une fois, arrivant à l'improviste à Champrosay, elle surprend une femme nue dans sa propre maison.

— Ce n'est pas la nuit que les hommes font leurs frasques, dira-t-elle plus tard enfin apaisée, c'est de cinq à sept !

Lucien Daudet, l'Inconditionnel, excusera son père :

« Un cheval sauvage peut s'apprivoiser, mais en bien des circonstances il peut redevenir cheval sauvage, surtout s'il entend hennir des cavales, là-bas, dans la nuit, hors du cercle de flammes hautes où il est enfermé... Il avait tant de beauté, tant de charme... Et sa conversation éblouissante, sa drôlerie, sa mélancolie... Et sa célébrité chaque jour plus grande. Que d'attraits ! Il aurait fallu être un saint... Il n'était pas un saint... »

X

Julia et Alphonse viennent d'arriver à Médan où Zola, avec ses droits d'auteur, a acheté une superbe maison. L'auteur des *Rougon-Macquart* est aussi un amoureux fou de la Seine. Elle est toute proche. Elle éclate de lumière et des canotiers y passent. Quand il lève les yeux, il contemple des tableaux qui ressemblent à ceux de ses amis Monet et Renoir.

C'est une chaude journée de juin. Julia porte une grande capeline et tient à la main son ombrelle. Elle regarde le jardin de curé bien peigné, avec une tonnelle de guinguette et dans un coin, un gros bateau baptisé *Nana*.

Les « auteurs sifflés » ne sont plus que trois. Après Flaubert, Tourgueniev vient de mourir à Bougival chez ses chers amis Viardot. Pauline, l'épouse de Louis Viardot, était depuis des années sa maîtresse dévouée, fidèle, et le gentil mari s'en accommodait.

Gabrielle Zola accueille ses invités et les conduit auprès du maître de maison qui travaille, vêtu d'un vieux pantalon de velours marron et d'une chemise de nuit sur laquelle il a passé un gilet de chasse. A ses pieds Bertrand, son superbe terre-neuve, et Raton, un chien minuscule. Par la fenêtre, on découvre un panorama superbe sur la vallée de la Seine.

— Je suis en train de commencer un nouveau roman,

dit-il, un peu éberlué comme s'il émergeait d'un épais brouillard.

— Votre maison est magnifique, dit Julia.

— Je m'y plais beaucoup. Je travaille plus et mieux qu'à Paris. Je m'installe de bonne heure à mon bureau et j'abats régulièrement la tâche que je me suis fixée.

D'origine très modeste, Gabrielle s'est adaptée assez facilement au milieu des hommes de lettres. La renommée et la fortune de son mari ne l'ont pas grisée. Elle est restée assez timide.

— C'est le sourire de la maison, dit Zola.

Au moment de se mettre à table, il retire son gilet pour être plus à l'aise. C'est un gourmand et Gabrielle sait lui préparer les petits plats qu'il aime. Il s'étale plutôt qu'il ne s'assied, se sert le premier, sans se soucier de ses invités et Julia est un peu choquée. Zola mange à lui seul comme trois romanciers réunis. Assise à sa droite, elle est étonnée de voir qu'on lui apporte le courrier au milieu du repas : *Le Figaro*, *Le Gaulois*, *La Lanterne* auxquels il est abonné, *Le Voltaire* auquel il collabore et *Le Sémaphore de Marseille* où il a tenu longtemps une rubrique très bien payée. Elle est toujours frappée par son zézaiement qui lui fait dire : « Je suis un chafte » au lieu d'un « chaste » et « la veuneffe » pour « la jeunesse ».

A un moment, il s'adresse à Alphonse :

— Qu'est-ce que c'est que dix mille francs de rente, mon bon ami ? On ne peut rien faire avec cela. J'en dépense cinquante mille et je ne sais pas comment.

— Oh ! répond Gabrielle, souviens-toi que pendant longtemps nous avons eu beaucoup moins de dix mille francs de rente et cependant, nous trouvions bien le moyen de vivre.

Provençal d'Aix, Zola vient de lire *Numa Roumestan*, le nouveau roman d'Alphonse Daudet qui raconte l'histoire d'un homme du Midi.

— L'avez-vous aimé ? lui demande timidement Julia.

— Votre mari a toujours été pour moi l'esprit le plus libre, le plus dégagé des formules, le plus honnête devant les faits. Je l'ai dit ailleurs, il a été le réaliste respectueux de la vérité moyenne qu'il se contente de vivifier du flot intarissable de sa pitié et de son ironie.

Alphonse rougit un peu du compliment. Zola reprend :

— Ce sera ton éternel mérite, cet amour apitoyé des humbles, ce rire moqueur poursuivant les sots et les méchants, tant de bonté et de satire qui trempent chacun de tes livres d'une humanité pessimiste. Voilà ce que je pense, mon bon.

Zola ne boit pas de café qui l'agite et ne fume pas de tabac qui l'énerve. Il a le goût et le sens de l'hospitalité. Après le déjeuner, il propose un tour en bateau. Tout le monde s'embarque à bord de la *Nana* pour gagner la grande île, en face de la propriété. Gabrielle est un peu lourde. Elle a du mal à se hisser dans la barque. Zola se courbe sur les avirons. Julia s'abrite sous son ombrelle car le soleil est terrible. Dans l'île, l'herbe est chaude, pleine d'odeur de fleurs et de feuilles. Zola et Daudet apprécient tous deux cette belle journée de soleil, l'ombre embaumée d'un bouquet d'arbres. Ils chantonnent. Quelle revanche ! Emile Zola, autrefois misérable et inconnu comme Alphonse Daudet, est devenu, avec lui, le maître du roman français. Ces deux écrivains exactement contemporains ont connu la même jeunesse laborieuse, les mêmes difficultés. Et maintenant, ils triomphent.

Alphonse prend la main de sa femme. Les années ont passé. Elle est toujours aussi charmante. Il a un peu de remords. Pourquoi lui est-il infidèle ?

Son nouveau roman *Numa Roumestan*, il le lui a encore dédié. Peut-être pour se faire pardonner...

Numa est un politicien méridional hâbleur, follement ambitieux, qui trompe sans vergogne son épouse, une âme droite et sincère. Elle est du Nord, lui du Midi. Toute leur existence est dominée par cette opposition. Il finira par devenir député, ministre.

Il y a dans ce livre une figure assez extraordinaire, celle d'un Méridional doué d'une imagination délirante. Il s'appelle Bompard et a, soi-disant, commandé une compagnie de déserteurs polonais et de Tcherkesses en Crimée, dirigé la chapelle du roi de Hollande dont il a séduit la sœur, exploré le Sahara. Il ment avec une étonnante effronterie. C'est le complice de Numa dans ses frasques extra-conjugales.

Roman à clé ? Sans doute. Alphonse s'est inspiré, pour ce personnage de Bompard, de son vieil ami Gonzague Privat, à qui est dédiée une édition de *Tartarin*. Ce peintre méridional a continué à lui rendre toutes sortes de services, toujours dévoué et discrètement mêlé à ses intrigues amoureuses. En somme, le bon copain qui sert d'alibi.

Quant à Numa Roumestan, l'homme du Midi avec ses qualités et ses défauts, Alphonse Daudet ne s'est jamais défendu d'y avoir mis beaucoup de lui-même.

Cette journée au bord de l'eau avec les Zola dans l'île de Villennes, c'est peut-être un de ses derniers moments de bonheur. Car bientôt la maladie va s'emparer de lui et le faire souffrir sans relâche. Il a la gloire, une femme qui l'aime et qui est toujours la plus précieuse des collaboratrices, et pourtant, il est malheureux.

Pour soigner ce qu'on croit être des rhumatismes, il va fréquenter plusieurs stations thermales. D'abord Allevard, dans le Dauphiné où il fait une longue cure, puis Royat et Néris. Il a aussi la douleur de perdre sa mère Adeline.

Cela ne l'empêche pas d'enchaîner roman sur roman. Les sujets se présentent sans cesse à son esprit et ses lecteurs fidèles attendent avec impatience chaque nouveau livre. A Néris, il écrit *L'Evangéliste* qui paraît d'abord en feuilleton dans *Le Figaro* avant d'être publié en librairie.

Oui, c'est l'époque de la pleine gloire. A ses brillantes réceptions du mercredi, Julia reçoit le Tout-Paris. Plusieurs femmes d'académiciens sont devenues ses amies et encouragent son mari à se présenter.

Quelle merveilleuse maîtresse de maison ! Elle est partout à la fois. Elle a un mot aimable pour chacun. Elle évolue avec grâce dans son salon, va de l'un à l'autre. Son nouvel appartement, situé au quatrième étage, donne sur les jardins de l'Observatoire et possède un grand balcon. On la complimente sur son choix, son installation, les magnifiques tentures qui décorent les pièces. Et l'on papote. On parle des derniers bruits qui courent Paris, on raconte des secrets d'alcôve. Il paraît que Sarah Bernhardt... On commente aussi les derniers livres parus.

Un invité se présente. C'est Pierre Loti. Timide, silencieux en public, il est très gai dans l'intimité. Jeune officier de marine, dès qu'il vient à Paris, même pour un court congé, il se rend chez les Daudet. Il demande à Julia de l'accompagner au piano et chante des mélodies de Schubert ou de Grieg pour la plus grande joie des invités.

Dans un coin du salon, Juliette Adam dit à Julia :

— Ma chère, je vous assure que votre mari devrait poser sa candidature à l'Académie. Il serait élu au premier tour.

— Vous croyez ?

Quand elle lui en parle après le départ de ses invités, Alphonse reste indécis. Il sait qu'il y a beaucoup de candidats pour le fauteuil de Jules Sandeau qui vient de mourir. Edmond About a des chances.

Albert Delpit, un journaliste ami d'Edmond About, qui donne régulièrement des chroniques au journal *Paris*, a écrit justement un très méchant article contre Alphonse Daudet, où il imagine un dialogue entre Chateaubriand, Lamartine et Mlle George, la célèbre comédienne, à propos de l'auteur de *Numa Roumestan.*

— Il a souvent imité un romancier anglais, Charles Dickens, dit Chateaubriand.

— Daudet académicien ? répond Mlle George. Allons donc ! Il n'a jamais su faire une pièce de théâtre.

A cette époque, où il est particulièrement nerveux et fatigué, cette attaque bassement intéressée l'exaspère. Il a brusquement l'humeur chatouilleuse. Il a assez de ces ragots, de ces mesquines jalousies. Immédiatement, il envoie ses témoins au journaliste. Il a choisi son fidèle Paul Arène avec qui Octave Mirbeau avait voulu le faire fâcher.

— Qui nous eût dit, quand nous courions après les papillons et après les filles dans les bois de Clamart, qu'un jour je t'accompagnerais sur le pré ! dit Paul en l'embrassant. Mais bravo ! Tu as bien fait. Tout cela est trop ignoble !

La rencontre a lieu au Vésinet. L'arme choisie est l'épée de combat. En voyant partir son mari dans un fiacre avec ses témoins, Julia est folle d'inquiétude.

Dans le froid du crépuscule, la mise en scène est classique, avec le médecin qui porte une trousse noire. Le décor est sinistre. Albert Delpit est moins flambard. Il frissonne même. A la première passe, Alphonse donne à son adversaire un coup d'épée qui lui traverse l'avant-bras.

— Il ne pourra plus écrire au moins pendant trois mois ! s'écrie-t-il en jubilant.

Le bouillant Paul Arène félicite son ami. Le copain des jours anciens est souriant.

— Tu n'as rien perdu de ta vigueur. Tu as raison de t'entraîner chaque jour dans ta salle d'armes !

De son balcon, Julia guette la voiture. Quand elle la voit s'arrêter sous ses fenêtres, elle descend les escaliers en courant et se jette dans les bras de son mari.

Finalement, Edmond About sera élu à l'Académie. Et Alphonse, pour oublier ces vilaines histoires, va se plonger dans *Sapho*, transposition à peine romancée de sa longue liaison avec Marie Rieu. La littérature lui fait aussi oublier les souffrances physiques qui l'assaillent.

Dans ce livre, il imagine ce que serait devenue sa vie s'il n'avait pas épousé Julia. Il met en scène beaucoup d'artistes qu'il a connus à la *Brasserie des Martyrs*. Il retrouve comme si c'était hier des scènes de sa vie de bohème. Marie, rue d'Amsterdam. Marie dans la grange douillette de la vallée de Chevreuse où il avait passé la nuit avec elle et où elle lui était apparue si jolie, le matin, avec un bouquet de fleurs des champs dans les bras. Marie dans les tournées médiocres des théâtres de banlieue où il l'accompagnait. Les galops et les galipettes des tendres soirs de *Bullier*. Marie et ses abandons pervers. La séduisante rondeur de ses seins. *Sapho* ! Il aime bien ce titre qui ressemble à une caresse.

Il achève ce roman en faisant une seconde cure à Néris. De là-bas, il écrit toujours fidèlement à son vieux Tim :

« Fadement, tristement, comme par un robinet d'eau tiède, notre vie s'écoule encore assez vite et voici que nous avons déjà fait plus de la moitié de notre temps... »

En se traînant vers l'établissement thermal, il pleure sa jeunesse perdue. Il n'a que quarante-quatre ans. Il a déjà l'impression d'avoir bouclé la boucle.

La doulou

— Qu'est-ce que vous faites en ce moment ?

— Je souffre.

I

Quand commence cette année 1885, les deux Jules sont au pouvoir : Jules Ferry est président du conseil et Jules Grévy, qui a succédé à Mac-Mahon, président de la République. Victor Hugo n'a plus que quelques mois à vivre et le général Boulanger est plein d'ambitions. Les « lionnes » du Second Empire sont à la retraite. Coquelin aîné joue *L'Etrangère* à la Comédie-Française et le chanteur Paulus triomphe au café-concert *Les Ambassadeurs*, sur les Champs-Elysées. Tout Paris fredonne *La Valse des roses*, la jolie chanson d'Olivier Métra, ce brillant compositeur qui a succédé à Offenbach.

L'Odéon vient de reprendre *L'Arlésienne*. C'est une foudroyante revanche. Julia Bartet ne figure plus dans la distribution. Elle n'a plus l'âge de Vivette... Prudent, l'auteur attendra cette fois la centième pour se rendre au théâtre. Il y sera acclamé dans sa loge. Porel, le directeur de l'Odéon qui épousera un jour la grande comédienne Réjane, a beaucoup tenu à cette revanche. Depuis des années, il en guettait l'occasion. Il n'a pas lésiné. Un superbe orchestre dirigé par Charles Lamoureux en personne. Des chœurs magnifiques. Et la musique de Bizet qui explose. Alphonse n'est plus un « auteur sifflé ». *L'Arlésienne* connaît enfin un triomphe qui ne se démentira jamais.

— Il y a des bonheurs qui viennent tard, dira-t-il avec mélancolie. Quel plaisir ne m'auraient pas causé jadis, au *Vaudeville*, ces rappels, ces applaudissements, ces recettes, alors que débutant comme auteur dramatique, je manquais de confiance en moi et que j'entendais dire : « Ce n'est pas un imbécile ce Daudet. Comment s'est-il trompé à ce point-là ! »

Après la parution de *Sapho*, il a reçu cette lettre d'Edmond de Goncourt :

« Mon petit, *Sapho* pour moi est votre plus parfait livre, celui où vous avez fait humain mieux que personne. Le livre a l'unité et la contexture serrée d'une bataille intime de la vie sans la canaille épique ou tragique d'un dénouement poncif. Le livre aura un immense succès, le succès de la Manon du XIXe siècle et j'en suis tout heureux, mon pauvre ami, car le succès est un bon emplâtre à appliquer sur les maux physiques... »

La seconde cure à Néris a été en effet peu efficace. Un jour où il se trouve sur la pelouse de sa propriété de Champrosay avec son jeune fils Lucien, il sent que ses jambes vacillent. Rentré à Paris, il se rend tout de suite à la Salpétrière pour consulter le célèbre neurologue Charcot. Le diagnostic est terrible.

— Ce que le docteur Potain a pris pour des rhumatismes est le début d'une maladie de la moelle épinière, annonce le grand médecin.

L'affection syphilitique qu'il a contractée dans sa jeunesse et qu'on a soignée tant bien que mal empire brusquement. Charcot s'occupera bientôt d'un autre écrivain contaminé par le même mal alors qu'il canotait près de *La Grenouillère* et prenait trop de « grenouilles » à son bord. Alphonse suivra l'évolution du drame de cet ami avec une terrible anxiété. Quand Maupassant deviendra fou, il sera terrifié.

Sapho est un immense succès. Albert Wolf écrit dans *Le Figaro* : « Alphonse Daudet est l'un des plus grands romanciers de son temps. » Et François Coppée, l'ancien amoureux transi de Julia, ne ménage pas les compliments à son ex-rival : « Dans la littérature de ce siècle, Alphonse Daudet restera au premier rang, comme un maître admirable de l'émotion, de la grâce et de l'ironie. Son style est inimitable et nul autant que lui n'a pu faire vibrer dans les mots la sensation, toute la sensation éprouvée jusqu'au fond du cœur, jusqu'au bout des nerfs. »

Les femmes, plus encore que les hommes, aiment Sapho, cette héroïne qui, pour n'être qu'une fille, n'en est pas moins une amoureuse. Les éditions succèdent aux éditions à une cadence vertigineuse. En tête du livre figure cette dédicace : *Pour mes fils, quand ils auront vingt ans.*

On voit l'ouvrage dans toutes les vitrines des librairies. Les gens le lisent dans le train et sur les omnibus. Les journaux sont pleins de commentaires élogieux. L'éditeur Charpentier se frotte les mains :

— Comme vous devez être heureux ! dit-il à l'auteur.

Heureux, Alphonse l'est de moins en moins. Julia est très soucieuse aussi. Elle aidera de plus en plus souvent son mari à poursuivre son œuvre, à supporter la douleur qui est maintenant presque toujours présente.

A peine *Sapho* terminée, Adolphe Belot insiste pour en tirer une pièce. Mais Alphonse trouve l'adaptation médiocre et refait en partie le texte.

Sapho va être créée au *Gymnase* par Jane Hading, une belle actrice au doux visage et aux cheveux d'or pour qui tout Paris éprouve une émotion violente.

Léon Daudet, jeune potache, assiste aux répétitions. Il est secrètement amoureux de la comédienne. Tous ses camarades lui ont dit : « Tu en as de la veine de pouvoir l'approcher !... » Il reste collé contre un portant, muet d'admiration, la dévorant des yeux. Koning, qui est à la fois le directeur du théâtre et le mari de l'actrice, dirige les répétitions en bousculant tout le monde. Quand le jeune Léon l'entend interpeller sa femme en la traitant de « moule » et de « colimaçon », il a envie de bondir, de prendre le gros homme à la gorge. Elle est si jolie, si fragile, Jane Hading.

Il assistera sans défaillance à toutes les représentations de la pièce. Un jour, il se risque à aller voir la charmante comédienne dans sa loge, un bouquet de fleurs à la main.

— Ah ! c'est vous, M. Daudet, lui dit le régisseur. Que voulez-vous ?

— Voir Mme Hading.

— Je regrette, mais elle n'est pas visible. Elle se repose.

Très déçu, il tombe sur Victorien Sardou, auteur comblé, qui lui explique avec volubilité que *Sapho* est une très belle chose mais que le roman a été transporté « trop cru » à la scène. Ces considérations ne l'intéressent pas, Léon. Il est venu ici pour tout autre chose.

Par bonheur, à ce moment paraît Jane Hading qui sourit à son jeune soupirant. Il n'oubliera jamais son visage « lumineusement éclairé par un inexprimable charme ». Il lui tend son bouquet mais Koning surgit, follement jaloux...

Sapho sera un très grand succès. La Duse, Réjane, Sarah Bernhardt elle-même reprendront plus tard le rôle.

Les Daudet continuent à recevoir beaucoup. Leur salon est un haut lieu de la vie parisienne. Un médecin vient dîner, c'est Charcot. Un peintre arrive, c'est Renoir. Un poète pousse la porte, c'est Mallarmé. Un homme politique se présente, c'est Gambetta. Un explorateur tombe du ciel, c'est Stanley. Un jeune homme entre, essoufflé, c'est Léon Daudet.

Il a maintenant dix-huit ans. Il a été élevé dans le sérail. Il est le fils d'un père célèbre et recherché, d'un témoin privilégié, exceptionnellement bien placé. Dès son plus jeune âge, il a vu défiler chez lui les plus grands. Un personnage surtout l'a frappé : Victor Hugo. Ecoutons-le :

« J'étais élevé dans le respect ou mieux dans la vénération de Victor Hugo. Tous deux poètes, tous deux romantiques, tous deux républicains, à la façon de 48, mes grands-parents maternels savaient par cœur *Les Châtiments*, *La Légende des siècles*, *Les Misérables*. Ils eussent mis à la porte quiconque se serait permis la moindre appréciation ironique sur *L'Histoire d'un crime.* Mon père et ma mère étaient dans les mêmes sentiments. La première fois qu'ils me conduisirent aux pieds du vieux maître, dans son petit hôtel moisi de l'avenue d'Eylau, attenant à un triste jardinet, je considérai avec une véritable émotion cet oracle trapu, aux yeux bleus, à la barbe blanche. Il articula distinctement ces mots : "La terre m'appelle", qui me parurent avoir une grande portée, un sens mystérieux. Il ajouta, en me mettant sur le front une main douce et belle, ornée d'une bague que je vois encore et qui me rappela la Confirmation : "Il faut bien travailler et aimer tous ceux qui travaillent." Il y avait dans son attitude une noblesse assez émouvante, jointe, je ne sais encore pourquoi, à quelque chose de burlesque, que j'ai retrouvé depuis à travers son œuvre et qui tenait peut-être à la haute idée qu'il avait de son rôle ici-bas. Comment n'eût-il pas perdu un peu le nord devant les délirants hommages dont il était l'objet ! »

Léon Daudet voit Rodin faire devant lui le buste de Victor Hugo, aperçoit José Maria de Heredia pâle et noir, velu jusqu'aux yeux, est ému par Théodore de Banville et sa femme, vieux couple soudé par l'esprit et le cœur, dîne chez ses parents avec Gambetta, « large lui-même comme une table de douze couverts et rouge comme quelqu'un qui vient d'avaler de travers un drapeau ». On lui fait saluer Barbey d'Aurevilly, embrasser Clemenceau, sauter au cou de Manet, Monet, Cézanne, Renoir, Sisley, Forain.

Ses parents le conduisent aussi dans le salon de Georges Charpentier, rue de Grenelle. Pour lui, l'éditeur est le meilleur, le plus accueillant et le moins commerçant des hommes. Les auteurs sont ses amis. Il a l'âme généreuse et il sait rire de si bon cœur. Pendant vingt ans, ce salon est le rendez-vous de la plupart des journalistes, politiciens, hommes de lettres, peintres, sculpteurs, comédiens, artistes en tous genres. Léon Daudet y voit Sarah Bernhardt, beaucoup plus naturelle qu'il le croyait, pleine de grâce et d'amabilité, Mounet-Sully, pas cabot du tout, Henry Becque, la face hilare, Jean Richepin, cambré et piaffant, Massenet, l'air inquiet et un peu obsédé par les femmes, qui déteste son prénom de Jules et ne fait porter sur ses cartes de visite en gros caractère que « Monsieur Massenet ».

Pas étonnant qu'après avoir fréquenté tout ce beau monde, Léon Daudet épouse un jour Jeanne, la Jeanne du pain sec, la petite-fille chérie de Victor Hugo !

II

Julia a décidé son mari à faire un voyage dans les Alpes. Ils se rendent d'abord à Aix-les-Bains où le souvenir de Lamartine est si vivace.

— Je n'oublie pas, dit Alphonse, qu'il a soutenu Mistral à ses débuts. *Mireille* connut le succès grâce à lui.

Ils se promènent en calèche au bord du lac où le poète chanta son amour désespéré pour Mme Charles. L'eau est sombre et agitée. Une barque se profile au loin. L'orage éclate. La montagne se détache dans un halo de brume grise. Julia est émue par ce décor romantique. Sa jeunesse a été bercée par les poésies de Lamartine qu'elle sait par cœur.

— Victor Hugo est un grand poète, dit-elle, Lamartine est la poésie. *Le Lac* résume tous les chants d'amour qu'on a pu écrire. C'est beau *en soi.*

— Oui. La première fois que j'ai vu Lamartine, j'ai eu l'impression que j'étais devant un dieu. Quand j'ai vu Victor Hugo, j'ai eu la sensation que je me trouvais devant un homme qui avait très bien fait ses affaires et gagné beaucoup d'argent.

Elle prend le bras de son mari avec amour. Elle n'ose le questionner sur sa santé mais veille secrètement sur lui. Ils sont de nouveau très proches, comme au moment de leur lune de miel à Cassis. Elle a beaucoup de tendresse pour cet homme qu'elle a follement aimé. Les infidélités sont oubliées.

Tous les regards de la « station » se portent sur ce beau couple que la gloire auréole. A l'hôtel, on demande à Alphonse de dédicacer ses livres. Quelle revanche pour l'ancien petit pion chahuté du collège d'Alès !

D'Aix-les-Bains, ils gagnent Chamonix où ils s'émerveillent de la splendeur des paysages. De leur chambre, ils ont une vue superbe sur le massif du Mont-Blanc et restent des heures, blottis l'un contre l'autre, à le contempler. Au coucher du soleil, la neige devient rose et Julia frémit, touchée par tant de grandeur. Ils marchent longtemps au bord de l'Arve, bouillonnante et rageuse. Les hauts sommets forment autour d'eux une ronde impressionnante, belle à couper le souffle.

— Pourquoi ne pas situer ici une nouvelle aventure de Tartarin ? propose-t-elle. Je l'imagine sur la mer de Glace, avec tout son attirail d'alpiniste.

Il s'enthousiasme pour cette idée. Depuis longtemps, il a envie de ressusciter ce personnage qui a connu tant de succès. Il a encore beaucoup à dire sur lui.

Ils dînent en regardant le Mont-Blanc. Julia est attentive, vigilante. Bientôt vingt ans qu'ils s'aiment ! Elle écoute la belle voix chaude aux inflexions tendres de son mari. Il parle de tout avec volubilité. Il lui raconte que l'Académie française, invitée à l'inauguration de la statue de George Sand dans le jardin du Luxembourg, a refusé de s'y faire représenter. Il en a été terriblement choqué.

— Le prétexte invoqué est ridicule, dit-il. L'Académie refuse de s'associer à cet hommage parce que la romancière n'était pas au nombre de ses membres. C'est un affront posthume. Flaubert serait outré. Il hurlerait. Il adorait George Sand. Il lui écrivait beaucoup. D'adorables lettres. Il m'en a montré certaines où il se nommait lui-même « votre vieux troubadour ». Souviens-toi ! Il m'avait demandé d'envoyer *Jack* à Nohant et elle m'avait répondu d'une façon charmante.

A Annecy, où ils font une autre escale, il lit dans un journal qu'on parle encore de lui pour une nouvelle candidature à l'Académie. Alors, furieux, il écrit immédiatement au rédacteur en chef du *Figaro* : « Je ne me présente pas, je ne me suis pas présenté, je ne me présenterai jamais à l'Académie. »

Dès leur retour à Champrosay, en plein mois d'août, il s'attelle à *Tartarin sur les Alpes*. Champrosay, c'est une opérette avec sa vieille église, l'épicier sur le pas de sa porte, le laitier qui livre bon matin, un petit âne gris mélancolique dans un pré dodu. D'un côté, le ruban métallique de la Seine où passent de joyeux canotiers. De l'autre, la très vaste forêt de Sénart dont la lisière semble gardée par de robustes marronniers à l'air protecteur.

La fenêtre est grande ouverte sur le parc. Etourdi par le chant des oiseaux, il écrit ces nouvelles aventures pleines d'humour de l'illustre personnage.

Julia ne le quitte pas. Elle revoit, corrige, retouche, peut-être encore plus que par le passé. Cette collaboration à la fois mystérieuse et publique, où commence-t-elle, où finit-elle ? Comment séparer des éléments si intimement associés et démêler quelles pages appartiennent à Julia ou à son mari ? Ecoutons Lucien Daudet, le « second fils », le meilleur témoin :

« Cette collaboration, c'était un secret qui n'appartenait qu'à eux deux, un secret auquel les gens n'auraient rien compris, allant au-delà ou restant en deçà de la vérité, croyant à une collaboration avide ou au contraire à un triste rôle de secrétaire, alors qu'il s'agissait de quelque chose de très complexe, une présence féminine à travers une œuvre masculine, quelque chose comme l'amour conjugal transposé dans le domaine littéraire. Balzac écrit quelque part : "Le véritable génie est bisexué." Je me suis demandé si l'attraction exercée par l'œuvre d'Alphonse Daudet ne tient pas à une espèce de bisexualité due à cette présence féminine. Tout cela est vrai et très intéressant à constater dans les manuscrits de mon père. Sur la page de gauche son écriture. Sur la page de droite, l'écriture de sa femme qui retouchait à mesure les cahiers qu'il lui passait, rajoutant quelques mots, ou quelques phrases, quelquefois aussi supprimait ou comprimait. A cette époque, sa petite écriture à lui est aiguë, un peu hachée, nette, et rappelle celle de Jean-Jacques Rousseau. Son écriture à elle est déliée, très penchée, et témoigne d'une volonté rare. »

Ils vont aussi dans un landau faire une promenade dans la forêt de Sénart qui commence en face de la maison, s'arrêtent dans une auberge pour déjeuner. Ils reviennent vers la Seine. Il regarde avec nostalgie des jeunes gens en maillots rayés canoter vigoureusement sur leurs barques. Il revoit Julia à l'arrière de l'embarcation, protégée par son ombrelle, quand il la guidait lui-même sous les saules de la rivière.

Le photographe Nadar est leur voisin. Il habite *l'Ermitage*, en plein bois, avec sa femme et sa smala : invités, bohèmes, serviteurs et parasites des deux sexes, ânes, chevaux, oiseaux, chiens et chats. Haut et solide, il est souvent vêtu d'une vareuse rouge qui va bien avec ses cheveux blancs. C'est un original, un personnage extravagant.

Photographe, peintre, dessinateur et écrivain, c'est dans son atelier du boulevard des Capucines qu'a eu lieu la première exposition des impressionnistes. Nadar — qui s'appelle en réalité Félix Tournachon — touche à tout avec un égal bonheur. Aéronaute en chapeau haut-de-forme, il a réalisé dès 1858 les premières photographies aériennes prises en ballon.

Sa gaieté est perpétuelle. Il a beaucoup usé et abusé de la vie et des « petites dames ».

— C'est la chose la plus importante de l'existence, dit-il à Alphonse. Le reste n'est que fumée.

En se frappant la poitrine, il ajoute :

— Un homme comme moi, marié à une femme angélique, est le dernier des misérables de l'avoir trompée avec des coquines.

Cinq minutes plus tard, il tire de sa poche un paquet de lettres, les déploie avec des mains tremblantes.

— Regarde, mon vieux Dauduche. Voilà ce que ma dernière maîtresse m'écrit... Des pages et des pages. Elle n'a que vingt-cinq ans... Hein, quel vieux fou je suis !

Edmond de Goncourt vient les voir. Il y a toujours une chambre pour lui dans la délicieuse maison de Champrosay. Il est aussi outré par le refus de l'Académie au moment de l'inauguration de la statue de George Sand.

— J'ai beaucoup apprécié votre réponse au *Figaro*, mon petit.

Il a toujours craint qu'Alphonse ne cédât finalement un jour à la tentation. Il tient trop à le garder pour sa propre académie qu'il ne désespère pas de créer.

Il aime cette maison avec la grande prairie qui descend vers la Seine. A soixante-trois ans, il en paraît vingt de moins. Ferme et droit, vêtu d'un complet gris, il n'a jamais semblé plus svelte ni plus jeune à ses amis.

Il vient d'installer à Auteuil son célèbre « grenier » où il a invité les Daudet pour une sorte d'inauguration. Il leur a fait les premières lectures à haute voix des fragments de son *Journal*. Les trois amis s'accordent parfaitement sur leurs contemporains, leur époque, tout le côté moderne de l'art littéraire de leur temps. Goncourt sait bien qu'Alphonse a usé de son influence pour que la presse multiplie les articles sur lui. Si sa notoriété s'est accrue depuis 1880, il le doit en bonne partie à son ami. Il le questionne sur sa santé.

— Je ne crois pas que je puisse guérir. Charcot ne le croit pas non plus et cependant je m'arrange toujours comme si mes sacrées douleurs allaient me quitter demain matin. La maladie chronique est un mauvais hôte. Il faut s'occuper d'elle le moins possible, poursuivre tant qu'on peut ses occupations.

Comme il l'interroge aussi sur son travail, Alphonse lui répond :

— Au fond, vous m'avez troublé, oui, vous, Flaubert et ma femme. Je n'ai pas de style : non, non, c'est positif. Les gens nés au-delà de la Loire ne savent pas écrire la prose française. Ce que j'étais ? Un imaginatif ? Vous ne vous doutez pas de ce que j'ai dans la tête. Eh bien, sans vous, je ne me serais pas préoccupé de cette chienne de langue, et j'aurais pondu, pondu dans la quiétude.

Julia ne songe qu'à le distraire. Rentrés à Paris, ils déménagent encore et s'installent rue de Bellechasse. Elle pense déjà recevoir beaucoup dans son nouveau salon.

Ils vont occuper au fond de la cour les troisième et quatrième étages d'une vieille maison où Monge a habité. De leurs fenêtres, ils voient partout des jardins. Et bientôt, le Tout-Paris des arts et des lettres défilera encore chez eux. Au point de rendre jalouse Mme Charpentier, la femme de l'éditeur, dont Renoir a fait un si magnifique portrait.

III

Lamalou-les-Bains, c'est une petite station thermale en Languedoc, située au fond d'un grand ravin brûlant en été et où l'on soigne les maladies du système nerveux. Charcot y a envoyé d'urgence Alphonse Daudet.

Il débarque un matin avec Julia et son fils aîné. C'est là qu'il va prendre ses premières notes sur « la douleur » — la doulou, comme il dit en provençal. Sa vie est devenue un miracle de volonté et de fantastique courage.

L'arrivée du grand écrivain à l'hôtel Mas est impatiemment attendue par les curistes. Dès le premier soir, une soixantaine de personnes font cercle autour de lui.

— Ah ! voici Alphonse Daudet ! disent-elles en chœur.

On lui tend encore des livres pour qu'il les dédicace, en particulier, *Tartarin sur les Alpes* qui vient de paraître. Son fils Léon, devenu étudiant en médecine, le regarde avec vénération.

— La maladie nerveuse met à la puissance deux, au carré si tu préfères, les qualités et les défauts de ceux qu'elle touche. Elle les taille ainsi que des crayons, lui dit Alphonse.

Sa persistante gaieté apaise l'énervement général. Julia est un peu effrayée par l'affligeant spectacle des curistes.

« Des êtres beaux, jeunes, riches, frappés par l'inexorable mal, alors que la vie leur souriait, promenaient dans la longue rue de Lamalou leur affreuse amertume, se regardaient lancer la jambe en avant avec une grimace de colère, juraient sourdement, revenaient à l'espérance, tel matin où le docteur avait constaté une amélioration, puis retombaient à leur marasme, quand leur réflexe rotulien — baromètre de l'état médullaire — s'exaspérait à nouveau », nous confie Léon Daudet en clinicien. Hanté par la maladie de son père, il écrira un jour un livre terrible, *L'Heredo*.

Il voit un malade qui a près de lui une jeune femme charmante et voluptueuse dont il est affreusement jaloux. Dès qu'un homme s'approche d'elle, il souffre mille morts. Pour effrayer les importuns, il raconte aussitôt la terrible syphilis dont il est atteint et s'amuse à les voir s'enfuir à toutes jambes. Un autre a sa femme légitime à l'hôtel Mas et sa maîtresse à Lamalou le haut. Pendant la nuit, il fait la navette de l'une à l'autre, ce qui achève de l'épuiser.

Un autre encore lui fait des confidences.

— Le pire, c'est de ne rien sentir du tout, de ne plus éprouver la joie ni la peine, de ne pas connaître le goût de ce qu'on mange, de ce que l'on boit. Et c'est mon cas. Je les ai tous consultés, tous, en Allemagne, en Angleterre ; Charcot en France. Ils n'ont rien su que me donner des consolations banales. Avant cela j'étais marié, monsieur, et j'adorais ma femme. Elle est tombée malade, elle est morte. Cela ne m'a pas plus remué qu'une pierre. On répétait autour de moi que l'excès de mon chagrin m'empêchait de manifester. Quelle blague ! Je ne pleurais pas parce que je n'avais pas envie de pleurer.

Pour les promenades aux environs de Lamalou, on s'entasse dans deux ou trois breaks. La bonne Mme Mas les a bourrés de provisions. On part après le bain du matin. Les chevaux galopent sur la route. Avec un rire léger, Julia joue à la femme heureuse. Grâce à sa bonne humeur, ces pique-niques sont presque aussi gais qu'un déjeuner sur l'herbe aux environs de Paris dans la lumière dorée d'un sous-bois.

Un danseur ataxique vient régulièrement à Lamalou. La

maladie qui gêne sa marche ne l'empêche pas de faire des entrechats. Un gros monsieur à l'esprit engourdi joue Wagner, Chopin et Beethoven sur le vieux piano de l'hôtel. Il sait tout par cœur. Un paralytique qui a gardé le sens de l'humour demande à son voisin de piscine :

— Monsieur, cette jambe est-elle à vous ou à moi ?

Après le dîner, dans le salon, Alphonse ajuste son monocle et commente un chapitre de Montaigne ou de Rabelais, deux auteurs qui ne le quittent pas. C'est pour les malades une grande fête. Son optimisme les ressuscite.

De Lamalou, toute la famille descend en Provence. Julia retrouve la jolie maison des Ambroy, à Fontvieille, les perchoirs pour les paons, la vigne au-dessus de la porte, le parc aux brebis, les larges escaliers, les corridors pompeux. On leur donne la même chambre. Depuis vingt ans, elle n'a pas changé. Toujours le même tissu aux grandes rayures de soie. Elle se revoit entraînant ici même son beau mari dans une longue polka.

— Un bal à nous deux, disait-elle alors amoureusement.

Comme Alphonse était séduisant et comme elle l'aimait déjà ! Quelle belle histoire que la leur ! Pourquoi faut-il ?...

Le ciel est d'azur. Ils vont se réfugier près de ce moulin qui l'a rendu célèbre et qui occupe le dernier mamelon sur la gauche. Julia regarde le blutoir, pas plus spacieux qu'une cellule de moine. C'est là que son mari, jeune homme, a rêvé, trouvant les sujets de ses fameuses *Lettres.*

— Que de fois je suis venu là me reprendre, me guérir de Paris et de ses fièvres, aux saines émanations de nos petites collines provençales. J'arrivais sans prévenir, sûr de l'accueil, annoncé par la fanfare des paons, des chiens de chasse, Miracle, Miraclet, Tambour, qui gambadaient autour de la voiture pendant que s'agitait la coiffe arlésienne de la servante effarée, courant avertir ses maîtres et que la « chère maman » me serrait sur son petit châle à carreaux gris, comme si j'avais été un de ses garçons.

Puis il emmène Julia en voiture à Font-Segugne, le pays où, le dimanche, les amoureux viennent se cacher dans l'ombre et le silence.

— C'est dans cette oasis de fraîcheur que se rendaient les félibres, lui explique-t-il.

Ils vont jusqu'à Fontaine-de-Vaucluse où errent les ombres de Laure et de Pétrarque. Ils écoutent les farandoles jouées par les tambourinaires et regardent les Arlésiennes avec leurs cavaliers. Il a fait aimer à sa femme ce pays qui invite au rêve et à l'amour.

En rentrant de promenade, il écrit à Frédéric Mistral :

« Mon Mistral, es-tu là ? Veux-tu, peux-tu jeudi prochain venir embrasser ton vieil ami et le jeune carabin ? Je t'attendrai de deux heures à quatre heures de l'après-midi sous les pins de Montoban-Fontvieille où vire mon moulin. »

Goncourt aussi vient les rejoindre. Il ne connaît de la Provence que Marseille et ses environs. Alphonse lui a tellement parlé de cette grande maison blanche où, dans la salle rustique au sol de terre battue, les poules viennent picorer les miettes du repas !

Il fait la connaissance du Maire, du Consul, du Notaire et de l'Avocat. Et bientôt, c'est la rencontre au sommet avec Mistral. Julia est amusée de voir les deux hommes se serrer la main. Ils sont si différents ! Edmond de Goncourt est si gourmé, si parisien et Mistral si exubérant, si méridional. De sa belle voix chantante, il raconte la naissance du Félibrige.

— Il y a trente ans quelques poètes osèrent se donner la mission de maintenir en leur Provence la langue du peuple. Tous les dimanches, tantôt à Avignon, tantôt à Maillane ou à Saint-Rémy, ils se réunissaient. Moi-même, je dévidais quelques-unes des strophes de *Mireille*.

— Oui, je sais, dit Goncourt. Alphonse m'a souvent parlé de ces temps héroïques. Il m'a conté que, lors de la Sainte-Agathe qui est la fête du village, les poètes passaient trois jours à Maillane, de même que les bohémiens.

A la lueur tremblante des lanternes, ils allaient offrir leurs hommages à la patronne du pays...

A peu près au même moment en lisant *Le Figaro*, Emile Zola a une douloureuse surprise. Cinq jeunes écrivains ont publié un manifeste où ils l'excommunient. Ils ont nom Paul Bonnetain, J.-H. Rosny, Lucien Descaves, Paul Margueritte, Gustave Guiches. Ils lui reprochent entre autres « d'avoir déserté, émigré à Médan », « un violent parti pris d'obscénité », « l'enflure hugolique », « une boulimie de vente », « une habilité instinctive pour que les imbéciles achètent *Les Rougon-Macquart* non pas tant pour leur qualité littéraire que pour leur réputation de pornographie ».

Bref, ils le démolissent très méchamment. C'est, paraît-il, la parution de *La Terre* qui les a déchaînés.

« *La Terre* n'est pas la défaillance éphémère du grand homme mais l'irrémédiable dépravation morbide d'un chaste. »

Zola cherche tout de suite à savoir d'où est venu ce mauvais coup. Il s'inquiète auprès de Huysmans qui lui écrit :

« C'est cet homme mal élevé qui a nom Rosny qui a rédigé ce factum (ça se sent d'ailleurs), et c'est Bonnetain qui a imaginé et lancé l'affaire. Le rôle des autres se bornerait à avoir été bêtes. Maintenant, Bonnetain, qui est une âme, certes, peu franche, a-t-il été incité par une personnalité que ces gens-là fréquentent tous ? Je le pense fort ; car ce me semble flairer fortement le hors Paris, ce coup-là. »

Zola comprend tout de suite. Edmond de Goncourt a toujours été avec lui d'une jalousie maladive. Qui a manipulé ces jeunes gens ?

Comme l'a écrit Armand Lanoux, qui s'y connaissait, « l'affaire du Manifeste des cinq est typique de ce qu'on a dénommé avec humour "la confraternité littéraire, cette haine vigilante" ».

A un journaliste du *Gil Blas* venu l'interviewer à ce propos, Zola répond :

— Quoique tout donne lieu de supposer que Daudet et Goncourt soient les inspirateurs de la chose, je ne veux pas le croire...

Goncourt se défend avec un bel acharnement. Il se fâche même. Il écrit à Zola :

« Allons donc, est-ce que je suis jaloux de l'argent gagné par Daudet qui en gagne au moins autant que vous ? »

On chuchote aussi dans certaines salles de rédaction qu'Alphonse Daudet a peut-être trempé dans ce complot. Mais que ne ferait-on pas pour le brouiller avec Zola ?

Vengeance tardive ? Le 1er mai 1900 dans *La Grande Revue*, Zola publiera une courte nouvelle peu connue, *Madame Sourdis*, qu'il a écrite en 1880 et gardé secrètement dans ses cartons. On y voit la jeune femme d'un artiste peintre devenir l'organisatrice du succès de son mari, grâce à sa fortune, son dévouement, son ambition et son talent. Elle restera toujours dans l'ombre mais sera souvent le « nègre » de son époux. Certains reconnaîtront l'histoire d'Alphonse et de Julia, une histoire qui dans le Paris littéraire de l'époque n'est un mystère pour personne. Dans un monde artistique interdit aux femmes, Adèle Sourdis creuse brillamment son trou, sous le masque d'un homme — feignant d'être ce qu'elle n'est pas : une épouse effacée.

IV

Au mois de juin suivant chez les Daudet, « une petite fille naît parmi les romans », comme le dit si poétiquement Théodore de Banville. On lui donne le prénom d'Edmée.

Alphonse est en train d'écrire ses Mémoires. Deux volumes qu'il appellera *Trente ans de Paris* et *Souvenirs d'un homme de lettres.* Il pense à sa jeunesse, si proche et si lointaine à la fois.

« Il gelait dur, cet hiver-là, et, malgré les panerées de charbon englouties dans la grille, nous voyions par ces veilles laborieuses indéfiniment prolongées le givre dessiner sur la vitre un voile aux fantastiques arabesques. Dehors, des ombres frileuses erraient dans la brume opaque de la place : c'était la sortie de l'Odéon, ou la jeunesse qui remontait vers Bullier en poussant des cris pour s'allumer. Les soirs de bal masqué, l'étroit escalier de l'hôtel s'ébranlait sous des dégringolades effrénées où sonnaient chaque fois les grelots d'un bonnet de folie. Le même bonnet de folie battait au retour, bien avant dans la nuit, son train de carnaval... »

Mais pendant qu'il corrige les épreuves de ce livre, on lui apporte un ouvrage qui vient de paraître. Il le regarde avec intérêt. Ce sont des souvenirs de Tourgueniev rapportés par son secrétaire Isaac Pavlosky. Il se réjouit de les lire. Il n'attend pas une seconde, interrompt son travail, s'assied dans un fauteuil et dévore les pages. Tourgueniev, le bon géant affable, l'ami de Flaubert. Le fameux dîner des « auteurs sifflés » où l'on bavardait si chaleureusement avec Zola et Goncourt. Quelles heures exquises ! Jamais elles ne reviendront ! Il en a les larmes aux yeux d'attendrissement. Mais brusquement, il devient livide. Dans ce livre « le bon Moscove », comme l'appelait Flaubert, porte un jugement sur les hommes qu'il a connus et leurs œuvres. Au détour d'une page, du fond de la tombe, le grand romancier russe l'éreinte de belle manière.

« Daudet, quelle nullité ! Il ne fait qu'imiter Dickens... Et comme homme ! Quel caractère, quel caractère ! C'est un Méridional très rusé et très pratique, un faux bon enfant qui sait fort bien faire ses affaires. Ses amis le jugent à sa valeur et m'en ont conté de belles sur son compte... »

Alphonse est consterné. Il a mal, très mal. Il doute de tout. Son état nerveux empire. Il frôle la syncope. Il a retrouvé instantanément son âme de Petit Chose, cet écorché vif qui a déjà pris dans la vie pas mal de coups. Il crie à Julia :

— J'ai de Tourgueniev des lettres cordiales, charmantes. Et voilà ce qu'il y avait sous ce bon sourire... Mon Dieu, que la vie est donc singulière !

Julia ne peut retenir ses larmes. De rage, de chagrin. Elle qui a toujours voulu protéger son grand homme, le tenir à l'abri de tout... Elle est effondrée. Pourquoi a-t-il fallu qu'il lise ce maudit livre ?

Une histoire qui consolerait Julia si elle la connaissait. A cette époque — on est en février 1888 — Vincent Van Gogh vient d'arriver à Arles où il neige. Il commence à peindre ici ou là, un peu au hasard, une vieille paysanne, la boutique d'un charcutier, la campagne toute blanche. Mais la lecture de *Tartarin de Tarascon* l'enchante, lui fait mieux comprendre et aimer cette Provence, dont le froid lui dissimule la vraie réalité. Stimulé par cette lecture, il peint brusquement une branche d'amandier déjà en fleur...

Le choc passé, Alphonse entreprend un nouveau roman : *L'Immortel.* Depuis l'élection d'Edmond About, mort d'ailleurs quelques mois à peine après son entrée sous la Coupole, il a une dent contre l'Académie. Julia l'avait si souvent imaginé revêtu de l'habit vert, l'épée au côté, le monocle à l'œil, lisant le discours qu'ils auraient soigneusement préparé ensemble !

Dans *L'Immortel*, le héros, c'est l'écrivain Freydet, c'est-à-dire Alphonse Daudet lui-même si son rêve avait abouti. En fait, bien qu'il s'en défende, l'Académie a toujours été sa grande ambition. Peut-être que s'il avait patienté un peu au lieu de s'énerver et de faire des déclarations tapageuses... Est-il vraiment sincère lorsqu'il dit à Philippe Gille à qui ce roman est dédié :

— J'aime la campagne, l'eau, surtout les blés, c'est une manie, mais rien que l'idée d'une promenade le matin, sous le soleil, dans un chemin creux, entre ma femme et mes enfants, me fait absolument méconnaître les joies qu'on éprouve à être membre d'une commission, à traverser le pont des Arts, et à sortir en troupeau, comme les enfants de l'école turque — plus calmes, hélas ! —, du palais de l'Institut. Je l'estime, je l'honore mais je ne veux pas en entendre parler.

Dans *Le Temps*, Anatole France écrira en parlant de *L'Immortel* : « C'est un livre spirituel et tragique, vif, rapide, exquis, charmant, plein de force et de grâce. »

Julia et Alphonse déjeunent chez Edmond de Goncourt dans son petit hôtel particulier du boulevard Montmorency à Auteuil, contre la voie du chemin de fer de Ceinture. Un rez-de-chaussée, deux étages et un minuscule jardin. Cette maison est remplie de merveilles qu'il a choisies, une à une, amoureusement. Il a passé son existence à collectionner les tableaux, les bronzes, les estampes, les bibelots, bien qu'il n'ait rien du maniaque qui promène ses invités à travers son musée, les forçant à écouter de fastidieux discours. Il ne devient nerveux que lorsqu'on s'approche un peu trop d'une pièce rare ou fragile.

La conversation est fréquemment interrompue par le sifflet des trains de Ceinture.

Alphonse n'a pas encore digéré les propos de Tourgueniev rapportés par son secrétaire dans son livre de souvenirs. Encore ulcéré, il en parle à Goncourt qui lui répond :

— Ne vous frappez pas, mon petit. Vous avez vu comment il me traite moi aussi ! J'ai été horrifié. Ce Tourgueniev qui me faisait si bonne mine était un faux jeton. Il ne m'appréciait guère, déclarait mon roman *Les Frères Zemganno* une œuvre stupide, et *Faustin* un livre faux d'un bout à l'autre. Merci ! Il raillait aussi, paraît-il, tout ensemble : mon « galimatias », celui de mon frère et notre prétention à tous deux d'être des observateurs impitoyables. Quel traître que cet Ivan Serguevitch ! Seuls Flaubert et Zola trouvent grâce à ses yeux. Et encore !

Puis Goncourt entraîne ses amis à l'Odéon où l'on répète sa pièce, *Germinie Lacerteux.* C'est Porel qui la met en scène et Réjane, sa femme, qui l'interprète. Porel est un directeur modèle, poli, délicat. Son amour de la scène réchauffe tout le monde autour de lui. Le contraire de Koning au *Gymnase.* Les Daudet l'entendent expliquer à une jeune actrice :

— Voyons, mon enfant, vous vous trémoussez comme si vous étiez assise sur des fourmis. N'oubliez pas, je vous en prie, que vous êtes une grande dame en visite...

Julia sourit. Il interpelle à présent un autre acteur.

— Mon petit, ah ! là-bas, débarrassez-vous de votre chapeau. Ne le promenez pas comme un compotier. Vous n'êtes pas un prestidigitateur. Vous êtes un amoureux qui fait sa cour.

Pendant cette répétition, Edmond de Goncourt est joyeux comme un enfant qui vient de recevoir un cadeau. Il trouve tout parfait, ses interprètes excellents, son directeur adorable. Il s'attendrit aux passages dramatiques.

— Hein, ça porte ! Ah ! ce Porel. Ah ! cette Réjane.

Dans son grand paletot de fourrure, avec sa moustache blanche au-dessous de ses yeux noirs et vifs, il a l'air d'un général de cavalerie en retraite.

Alphonse et Julia font un nouveau séjour à Quiberon. Quand ils débarquent par le chemin de fer à ce terminus du bout du monde, il porte encore le veston de velours noir et la lavallière des félibres, mais il a raccourci sa belle barbe brune qui séduisait jadis les Arlésiennes. Il retourne s'installer à l'hôtel Penthièvre, sur la petite place de l'église, où ils ont passé des jours heureux quelques années plus tôt.

Ils retrouvent une guinguette en bois et carton goudronné avec une minuscule terrasse qui regarde la mer. Ils se reposent entre les tamaris qui abritent des balançoires. Il prend la main de Julia. Ce n'est plus l'été torride de leur vie mais un douloureux automne. Il frissonne. Il cherche des images pour un nouveau roman *La Petite Paroisse.*

« Chaque matin, les baigneurs devenaient plus rares sur la plage, la maison jaune plus seule. Malgré l'exceptionnelle douceur de la saison, on sentait à la montée des brumes, aux tons de vieille dorure que prenait la lumière à certaines heures, comme aux accents plaintifs et longs de la brise, à la frénésie du vol des goélands, que l'été touchait à sa fin. Et de l'autre côté de la presqu'île, les mugissements de la mer sauvage redoublaient, chaque vague écroulée sur les roches avec le vacarme d'une batterie. »

Il parle presque aussi bien de la Bretagne que de son Midi.

Mais sa santé se détériore de plus en plus. Charcot, qui ne sait pas quoi faire pour le soulager, lui propose un nouveau traitement très à la mode. Un régime de douches à suivre chez un hydrothérapeute qui s'appelle Keller et où l'on rencontre des gens de Bourse surmenés, un prince russe au regard fiévreux, des acteurs qui ont perdu la mémoire, ce qui est bien gênant dans leur métier. Il y a une salle d'armes. On y pratique aussi la boxe. On se pèse dans une chaleur d'étuve. On échange d'atroces confidences sur les maux qu'on éprouve. C'est Lamalou en pire. Il y manque l'horizon, le grand air, l'espace. Bruits de la douche, cliquetis des épées. Un curieux charivari dans sa tête.

Il s'y rend tous les jours et c'est un supplice de rentrer ensuite par les Champs-Elysées. Devant la glace de la cabine de la douche, il s'est fait peur.

« Le drôle de petit vieux que je suis tout à coup devenu. Sauter de quarante-cinq ans à soixante-cinq. Vingt ans que je n'ai pas vécus. »

Don Juan foudroyé, il commence à noter avec une terrible précision ses souffrances. Il va suivre lui-même, jour après jour, son calvaire, puisant dans la douleur même un surcroît de lucidité sur les êtres, le monde et lui-même, donnant l'exemple d'un stoïcisme supérieur à celui de Montaigne, un de ses auteurs favoris.

« Hier soir, vers dix heures, une ou deux minutes d'angoisse atroce dans mon cabinet de travail.

« Assez calme, j'écrivais une lettre bête — page très blanche, toute la lumière d'une lampe anglaise concentrée dessus, et le cabinet, la table plongés dans l'ombre.

« Un domestique est entré, a posé un livre ou je ne sais quoi sur la table. J'ai relevé la tête, et, à partir de ce moment, j'ai perdu toute notion pendant deux ou trois minutes...

« L'horrible, c'était que je ne reconnaissais pas mon cabinet : je savais que j'y étais, mais j'avais perdu le sens de son endroit. J'ai dû me lever, m'orienter, tâter la biliothèque, les portes, me dire : “C'est par là qu'on est entré”... »

Le surmenage qu'il s'impose n'arrange pas les choses. A peine *L'Immortel* est-il paru qu'il entreprend une pièce, *L'Obstacle*, puis un troisième volume du cycle de Tartarin : *Port-Tarascon*. Il a aussi envie d'écrire une comédie tirée de *L'Immortel* pour laquelle il a déjà trouvé un titre, *La Lutte pour la vie.* Qui résisterait à un tel rythme ?

Un soir, Julia apprend que son cher papa est très malade, qu'il agonise. Lui à qui elle doit tout, l'amour de la littérature, de l'art, lui son ami, l'ami de son mari. Tous les malheurs à la fois, est-ce possible ?

V

Alphonse et Julia viennent d'acheter une nouvelle maison à Champrosay. Un voisin leur a cédé la propriété qu'il habitait à côté de l'église. Une grande demeure en briques et pierres avec un parc descendant jusqu'à la Seine. Cinq à six hectares de bonne terre pour cent douze mille francs. Leurs enfants qu'ils adorent pourront y être totalement heureux. Il y a une aile à angle droit avec des communs, une cour d'honneur. Julia a toujours conservé cette habitude de recevoir beaucoup. Dans ce ravissant décor, elle pourra organiser des réceptions superbes, d'exquis déjeuners champêtres. Au crépuscule, elle aime à se tenir sur la terrasse qui domine les jardins. Tandis que les brumes mauves du soir se glissent entre les troncs des arbres, se collant à l'herbe des pelouses, la terre rejette en pagaille des parfums imprécis. La nuit hésite et Julia rêve. De l'appartement de la rue Pavée à cette magnifique propriété, quel chemin parcouru ! Malgré les difficultés du début, les ragots, les jalousies, les rancunes, elle a tenu fermement la barre. La carrière de son mari est exemplaire. Julia a vraiment réalisé ses desseins. Suprême consécration : leur fils Léon va bientôt épouser la petite-fille de Victor Hugo. Mais pourquoi faut-il qu'elle ait maintenant auprès d'elle un homme malade ?

Au lycée, Léon Daudet a eu pour condisciple Georges Hugo, le fils de Charles Hugo. La mère de Georges, devenue veuve, s'est remariée avec Edouard Lockroy, député de la Seine. Léon Daudet adore aller chez eux où vit également Jeanne, la sœur de son camarade. Il a même passé des vacances à Guernesey auprès d'elle, l'écoutant parler avec attendrissement de son grand-père. Coup de foudre réciproque. Fiançailles avec la charmante Jeanne. Les Lockroy le reçoivent en ami intime et adorent ce garçon très brillant qui hésite encore entre la médecine et le journalisme.

Alphonse écrit à son cher Tim :

« Elle est vraiment exquise cette Jeanne, bonne, tendre, d'esprit original. Ma femme est ravie et pleine d'espoir. Moi, ma future bru me réconcilie — ce n'est pas peu dire — avec ce mariage si plein de danger et de pièges pour l'avenir laborieux et intellectuel de mon fils. »

Julia est enchantée. Sans restrictions. Elle a toujours vénéré Victor Hugo. Cette alliance avec cette famille la comble de joie. Elle trouve en plus la jeune fille très sympathique.

Un baume aussi sur les plaies d'Alphonse, blessé après la lecture des souvenirs de Tourgueniev : un article très élogieux de Rémy de Gourmont qui écrit :

« M. Daudet est du Midi : c'est le pays où les phrases font des bruits de cigale. Ses contes pourront durer très longtemps. Il conte comme il raconte et avec un plaisir évident, communicatif. C'est sa vocation. »

Il y a beaucoup de monde ce soir dans le salon de l'éditeur Charpentier. Alphonse Daudet retrouve Octave Mirbeau avec lequel il s'est réconcilié entre-temps et qui lui a écrit une lettre où il s'est renié totalement. Il rencontre aussi Pierre Loti, Marcel Prévost et Zola. Tout le monde embrasse Julia.

— Comment faites-vous pour rester aussi belle ? lui demande Mme Charpentier.

— Une vie calme et réglée, un mari qui m'aime, des enfants que j'adore, c'est peut-être mon secret.

Pierre Loti la félicite pour son élégante toilette. Elle le complimente sur son dernier roman *Mme Chrysanthème* qui l'a enchantée.

Il y a aussi sous les lustres brillants une femme aux longs gants noirs qui va chanter du Bruant spécialement pour les invités. C'est Yvette Guilbert, la nouvelle diseuse qui obtient un grand succès à *L'Eldorado* et dont Toulouse-Lautrec a dessiné une affiche remarquée. Elle interprète une chanson que Bruant vient juste d'écrire. Elle détaille les couplets avec un art consommé :

Malgré que j'sois un roturier,
Le dernier des fils d'un Poirier
D'la rue Berthe
Depuis les temps les plus anciens
Nous habitons, moi z'et les miens
A Montmertre...

Alphonse applaudit. A côté de lui, Zola, tassé dans un fauteuil, ne cesse de jouer avec son binocle. Ils aiment tous les deux cette poésie de Bruant, cet amour de la rue, des humbles, des pauvres, des gens qui souffrent. Toute leur œuvre n'en est-elle pas imprégnée ? Ils se promettent d'aller un soir applaudir ce chansonnier populaire au cabaret *Le Mirliton.*

Il y avait les Samedis d'Heredia où le poète des *Trophées* et sa femme recevaient leurs amis. Il y a maintenant, rue de Bellechasse, les Jeudis d'Alphonse Daudet. On y rencontre des invités d'opinions les plus opposées. N'a-t-il pas dit :

« O politique, je te hais. Je te hais parce que tu es grossière, injuste, haineuse, criarde et bavarde ; parce que tu es l'ennemie de l'art et du travail ; parce que tu sers d'étiquette à toutes les sottises, à toutes les ambitions, à toutes les paresses... Sauf de rares exceptions, on voit au Parlement le rebut du pays, le médecin sans clientèle, l'avocat sans cause, le vétérinaire dont se méfient les animaux, mais ne se méfient pas les électeurs. »

Il est l'ami de Barrès comme il fut celui de Gambetta. Ses réceptions sont extrêmement simples. L'habit y est proscrit. Un romancier célèbre y vient même une fois en robe de chambre...

« La séduction que dégageait Alphonse Daudet venait de sa bonté, dit Antoine Albalat, un écrivain méridional qui assiste quelquefois à ces Jeudis. Elle semblait l'épanouissement de son intelligence. Il eut ce don qui manque à la plupart des hommes. »

Daudet lui montre dans un tiroir de son bureau les huit rédactions de *Sapho* :

— Pour arriver à sortir son sujet, il faut le porter longtemps. La période d'incubation est la plus dure et la plus féconde. Nous sommes littéralement en état de gestation. Nous en avons le masque. Pour moi, je suis tellement obsédé par mon sujet que j'en parle à tout le monde. Je ne connais pas d'autre méthode. Il faut en parler, s'en saturer.

Avec ses compatriotes, il adore bavarder en provençal.

— Pour tout ce qui a trait à mon enfance, dit-il, c'est en provençal que je suis tenté d'écrire.

Il conclut :

— N'ayez pas peur de la vie, jeune homme. Je connais bien les cruels débuts, les arrivées à Paris avec deux francs en poche. Celui qui n'a pas eu faim, qui n'a pas eu froid, qui n'a pas souffert, ne peut parler ni du froid, ni de la faim, ni de la souffrance. Dans la première partie de ma vie, j'ai connu la misère ; dans la seconde, la douleur. Aussi mes sens se sont aiguisés. Si je disais à quel point, on ne me croirait pas. Certain visage en détresse au coin d'une rue m'a bouleversé l'âme et ne sortira jamais de ma mémoire.

En le quittant, Albalat pense :

« Je n'ai pas compris que cet amoureux de soleil et de lumière ne soit pas allé plus souvent revoir son pays natal, au lieu de passer ses vacances à Champrosay devant les pelouses bien peignées d'un grisâtre château du Nord. Comment renonçait-il si aisément au bonheur de retrouver chaque année le Rhône sonore, les pins mouvants, les beaux souvenirs de jeunesse qui eussent vivifié et renouvelé son inspiration littéraire ? »

Léon Daudet assiste souvent à ces réceptions. Ce soir-là, comme il raccompagne des amis dans l'antichambre, il voit entrer Guy de Maupassant, les prunelles dilatées, le regard sombre et qui demande, l'air égaré :

— Goncourt n'est pas là ?

— Non, monsieur, il a la grippe.

— C'est bien ce qu'on m'avait dit.

Il entre dans le cabinet de travail où Alphonse l'accueille avec un grand sourire.

— Ah ! c'est vous, le monsieur qu'on ne voit jamais. Asseyez-vous et prenez un verre de bière.

— Merci. La bière est toxique, redoutable ; elle détraque l'estomac. Votre fils qui a fait ses études de médecine sait cela.

L'auteur de *Bel-Ami* sombre ensuite dans un profond mutisme, reste taciturne et pâle au fond de son fauteuil. Il ne répond que par monosyllabes à son vieil ami Léon Hennique avec qui il a si souvent canoté à Bougival au temps de sa folle jeunesse. Sa présence a fini par jeter un froid sur cette réunion du jeudi si gaie d'ordinaire. Tous les invités trouvent Maupassant bien changé. Son visage est émacié, torturé. Il a le regard fixe.

A minuit, il se lève, prend congé cérémonieusement et disparaît comme un fantôme. Ce drame préfigure pour Alphonse Daudet ce qui l'attend. Il secoue sa pipe blanche émaillée que Flaubert lui a donnée jadis et dit :

— Le silence du pauvre Guy a l'air traversé de visions sinistres... Brr !... Julia, un peu de piano, je ne veux pas aller me coucher sur cette impression-là.

Il ne reverra plus jamais Maupassant.

VI

Le mariage de Léon Daudet et de Jeanne a lieu à la mairie du VIIe arrondissement. Ce ne peut être qu'un mariage civil, compte tenu des opinions de la famille de la future épouse. La presse anticléricale approuve chaudement et les journaux bien pensants hurlent. Pour agrémenter le décor un peu sévère, on a répandu un tombereau de fleurs et de plantes vertes puis on a installé un orgue dans la salle des mariages.

Entre-temps Léon, trop occupé par son prochain mariage, a échoué au concours de l'internat. Il n'hésite plus et devient enfin journaliste. C'est sa vraie vocation et il va faire une carrière de bouillant polémiste. A son bras, la jeune mariée est jolie et radieuse. Jeanne n'est plus au pain sec. Un déjeuner somptueux l'attend.

Alphonse regarde sa femme toujours très élégante et qui porte un invraisemblable chapeau.

Cette cérémonie civile est pleine de faste. Floquet, Ribot, Zola, Ferry s'y pressent. Le témoin de Léon est Edmond de Goncourt. Ecoutons-le :

« C'est effrayant le monde qu'il y a dans la salle, c'est tout le monde politique, tout le monde littéraire, tout le monde élégant, en un mot tout le monde de Paris... »

Mais on critique encore : « Cette ambitieuse union des

deux plus grands noms littéraires de l'époque, c'est bien plus un mirage de puissance et de fortune qu'un roman d'amour », écrit André Gaucher qui ajoute : « Cette arche triomphale ouverte sur la vie devant deux jeunes gens ivres d'orgueil a été construite, c'est visible, sous le signe de l'or. »

Alphonse Daudet, si pauvre à son arrivée à Paris, ne pensait pas un jour déchaîner tant de haine et de jalousie.

Il continue à beaucoup souffrir. Quelques semaines plus tôt, on a créé sa nouvelle pièce *L'Obstacle* au théâtre du *Gymnase*, sur une musique du jeune compositeur Reynaldo Hahn, que Massenet lui a recommandé, mais la première ne lui a pas apporté la joie qu'il escomptait.

Le musicien est très vite devenu son ami et vient souvent jouer du piano rue de Bellechasse. Julia l'écoute avec ravissement. Il est beau, charmant, distingué et a tant de talent.

— Quel âge avez-vous ? lui demande Alphonse.

— Seize ans.

Il le regarde avec une stupeur amusée.

— Est-ce possible ! Il y a encore des gens qui ont seize ans !

Alphonse est prisonnier de la douleur. Une nouvelle cure à Lamalou n'a pas amélioré son état. L'ataxie locomotrice dont il est frappé maintenant risque de s'aggraver. Charcot a essayé un nouveau traitement consistant à suspendre le malade deux fois par semaine au moyen de l'appareil de Seyre. C'est un horrible supplice.

« Je reste jusqu'à quatre minutes en l'air dont deux soutenu seulement par la mâchoire, écrit-il dans *La Doulou.* Puis, en descendant, quand on me détache, affreux malaise dans la région dorsale et dans la nuque, comme si toute ma moelle se fondait... »

Il a du mal à se remettre de ces secousses.

« Oui, c'était cela le supplice de la croix et pour apaiser ma soif, une cuillerée de bromure iodé, à goût de sel amer ; c'était l'éponge trempée de vinaigre et de fiel ! »

Julia outrée a reproché au docteur Charcot la cruauté

et l'inefficacité de sa nouvelle méthode. Celui-ci est resté impassible.

— Je fais tout ce que je peux.

La consolation d'Alphonse : sa fille Edmée qu'il voit grandir. « Elle est spirituelle et fine, un vrai bouquet de Paris », écrit-il à Tim. C'est peut-être pour cela qu'il la surnomme « Brin de lilas ».

Alphonse ne donne plus rien ni au théâtre ni en librairie. Il lit beaucoup et se couche tôt pour essayer d'oublier ses souffrances. Quelquefois, Léonide Allard vient jouer aux échecs avec lui, comme autrefois.

Son frère Ernest est toujours très fidèle. Il est devenu un historien distingué qui n'envie pas la gloire de son frère mais s'emploie de son mieux à l'exalter.

— Cher Ernest, tu es pour moi le meilleur des amis, lui dit Julia.

Alphonse tient quand même à célébrer ses noces d'argent. Tous ses amis sont là. La princesse Mathilde a même envoyé des épis d'argent, et un orchestre tzigane joue pendant toute la soirée.

Afin de le distraire, Julia maintient la tradition et reçoit toujours le jeudi. Paul Bourget, Jules Renard, Courteline participent souvent à ces dîners. Avec eux la gaieté ne manque pas. Jules Renard raconte les derniers potins de la vie littéraire qu'il regarde à la loupe. Courteline vient d'entrer à *L'Echo de Paris*.

— Comment vous attirer plus souvent ? lui dit Alphonse. Les salons vous embêtent. Il faudrait vous aménager ici un petit café avec de la sciure et des boules de métal où mettre les torchons...

En rentrant de cette soirée, Jules Renard, qui s'aime beaucoup, écrit dans son *Journal* :

« Chez Daudet. Bon sourire, presque expansion. Je note des visages. Rosny n'est déjà plus le puissant cerveau de naguère. Les hommes du jour sont Barrès, Schwob, Léon Daudet et moi. Hier encore, Léon Daudet disait : "Renard est le plus parfait artiste que je connaisse." Et Alphonse Daudet ajoute :

« Les comparaisons ne disent rien. Il faut pourtant que je vous compare à La Bruyère. Oui, vous êtes un La Bruyère moderne. Ah ! le jour où vous recevrez le coup de couteau dans le cœur vous ferez un beau livre. Barrès est séduisant. Mais quel dommage qu'il meure à chaque instant, comme ces poissons qui ouvrent la bouche sur l'eau et suffoquent tandis que leur ventre s'illumine de reflets changeants. Moi, je n'ai jamais eu le souci de faire de l'art. »

Des hommes apparemment à des lieues les uns des autres montent ensemble l'escalier de la rue de Bellechasse : Georges Clemenceau, Raymond Poincaré, Jean Richepin, Marcel Proust, Robert de Montesquiou plein d'esprit et de causticité, d'Annunzio quand il traverse Paris, la Duse, Réjane, quand elles ne jouent pas au théâtre.

Un matin, Julia a la surprise de voir arriver chez elle un homme étrange en redingote et chapeau haut-de-forme. Il se présente timidement.

— Je suis Batisto Bonnet.

Alphonse intervient.

— Ne t'inquiète pas, ma chérie, je connais ce garçon.

Il regarde le visiteur.

— Parlons provençal, mon ami. Vous voilà enfin !

Batisto Bonnet est un paysan de la vallée du Rhône sans instruction, mais qui écrit parfois avec un merveilleux instinct et une charmante naïveté des contes rustiques. Ils ont paru dans *Le Tournesol*, journal provençal publié à Paris. A plusieurs reprises, Alphonse lui a écrit pour le féliciter, mais n'a jamais reçu de réponse. Et aujourd'hui, l'ancien berger débarque chez lui sans le prévenir, prêt à lui raconter sa vie. Batisto tremble d'émotion. Il admire tellement le baïle, c'est-à-dire le maître en provençal.

Il est né entre Nîmes et Beaucaire, a été aussi valet

de ferme, charretier, laboureur. Il est resté cinq ans dans l'armée d'Afrique. Il a fini par se marier dans la région parisienne. Alphonse est touché par la sincérité de cet homme si vrai, si différent de ceux qu'il fréquente habituellement à Paris. Il l'écoute parler avec bonheur. C'est toute la Provence qui vient à lui et l'arrache à sa mélancolie. Derrière les vitres de son cabinet de travail, la pluie tombe sans arrêt. Pendant des heures, il écoute Batisto et son merveilleux accent ensoleillé. Cette Provence, la reverra-t-il un jour ? Il en a une terrible nostalgie. Il songe toujours aux parties de chasse en Camargue, à ses promenades en Arles, sur le forum, ou aux Aliscamps tandis que l'air vibrait de cigales, à ses rendez-vous aux Baux, d'où il découvrait au loin une ligne d'un bleu étincelant qui était la mer...

— Votre visite m'a fait plaisir. Ce que vous m'avez raconté est fort intéressant. Quelle jeunesse vous avez eue ! Sept enfants à la maison, le père terrassier à quarante sous par jour ! Vous devriez écrire vos souvenirs. J'essaierai de les faire éditer.

— C'est vrai ? Alors je vais m'y mettre tout de suite.

Quelques mois plus tard, Batisto Bonnet apportera son manuscrit en provençal. Alphonse le traduira et fidèle à sa promesse, s'occupera de sa publication. Il écrira dans la préface en tête du volume : « Livre admirable que je voudrais voir dans toutes les écoles de France pour sa grâce naturelle et limpide. »

Il dira à Julia :

— De ces souvenirs de misère a jailli un livre d'allégresse et de réconfort.

Au bout de quelques mois de mariage, Léon Daudet et Jeanne ont décidé de divorcer. Alphonse en est profondément affecté. Il essaie d'arranger les choses, se rend avec son second fils Lucien chez Lockroy qui habite... avenue Victor Hugo. Il fait un froid de Sibérie. Par la vitre du fiacre, il regarde Paris qui a bien changé ces derniers temps. Cette tour Eiffel l'agace un peu. Des passants emmitouflés se hâtent vers le Champ-de-Mars. Il pense à l'époque où, avec son frère Ernest, marchant tous les deux dans ce même quartier, ils criaient : « A nous deux, Paris ! »

L'entrevue avec le beau-père de Léon tourne court. Il se heurte à son refus. Aucun compromis n'est possible. Jeanne est farouchement décidée à quitter son mari.

Alphonse est triste, amer. Il ne voit plus beaucoup Zola, très absorbé par l'affaire Dreyfus et par ses amours avec Jeanne Roserot, une petite lingère que sa femme Gabrielle a imprudemment engagée, et pour qui il nourrit une passion folle.

Pour se changer les idées, il décide de reprendre son livre *La Petite Paroisse*, mais le feu sacré n'y est plus et la maladie gagne du terrain. Il a du mal, il peine et rature sans cesse les pages. Où est-il le temps où il composait une pièce avec tant de facilité ? Julia tente en vain de l'encourager, récrit elle-même des passages entiers. Il réussit à terminer son histoire.

« Un jour, chez l'éditeur Charpentier, Daudet entre, l'ovale de la figure tout fondu et les cheveux comme mouillés, raconte Edmond de Goncourt. Il a les gestes resserrés, frileux ; et, un moment il interrompt sa conversation pour me jeter dans l'oreille : "Je suis fichu." »

Malgré son mauvais état de santé, il s'accroche à la vie avec toujours une volonté fantastique. Pour son œuvre, pour ses enfants, pour Julia qu'il aime. Il fait un voyage en Angleterre. Il y est reçu par le romancier Henry James qui vient de traduire *Port-Tarascon*. Il lui parle d'Oscar Wilde qu'il a connu lorsqu'il habitait à Paris, rue des Beaux-Arts, dans un misérable taudis. Puis avec lui, il visite Londres. Le doyen de Westminster leur offre le thé dans une grande salle gothique de la cathédrale. Henry James, plein d'humour et de prévenance, le conduit aussi à Hyde Park, lui montre Windsor, Eton, Oxford. Il évoque Tourgueniev et Flaubert avec qui il a eu de longues discussions à Paris. Flaubert, d'accord ! Mais de Tourgueniev, Alphonse ne veut plus entendre parler !

Il rentre à Paris un peu apaisé par ce séjour où il a été

si joliment fêté. Julia aussi a été ravie de ce voyage. Elle ne connaissait pas l'Angleterre et elle se retrouve chez elle avec de ravissantes images plein les yeux : les équipages roulant le long des allées de quartiers aristocratiques, la résidence où ils habitaient dans un nid de verdure, le petit air désuet de la grande ville, sa couleur et son charme qui les dépaysaient.

Il est à Paris depuis deux jours quand, un soir, brusquement hanté de nouveau par ses souvenirs de jeunesse, il décide d'ajouter une suite à *Sapho*. Il l'appellera *La Fédor*. Il ne peut pas oublier Marie Rieu, les épisodes tendres et douloureux de leur liaison orageuse. Marie jalouse, abusive, qu'il retrouvait sur son paillasson, rue de l'Université. Comme elle l'aimait ! Comme ils étaient jeunes et passionnés alors ! Inconnus, sans argent, mais jeunes ! Il pense brusquement à des vers qu'elle lui a inspirés à cette époque.

Tout l'orchestre de ses vingt ans,
Clavier d'or aux notes de flamme
Lui dit une joyeuse gamme
Sur la clef d'amour de printemps...

VII

Que c'est triste Venise quand on est malade et fatigué ! Pourquoi Alphonse et Julia n'ont-ils pas fait ce voyage vingt ans plus tôt ?

— Comme j'aimerais connaître l'Italie ! a-t-il dit à Zola qui lui parlait un jour de Rome.

Une arrivée à la nuit d'abord. Puis la vision des gondoles, « ces grands cygnes noirs qui se pressent contre les marches du port ». Le silence de la ville endormie, le chuchotement de l'eau aux portes des vieux palais, la cité des Doges à travers un rideau de pluie.

Il frissonne. Une crise d'angoisse. L'impression d'être déjà dans un autre monde. Il se pince pour se prouver qu'il existe. Julia remarque sa pâleur, lui passe sur le front un mouchoir imbibé d'eau de Cologne. Il respire difficilement. Il perd encore le contact.

« Je me rappelle qu'à Paris, en voiture, après avoir fermé les yeux quelques instants, je me suis trouvé tout à coup sur les quais illuminés d'une ville que je ne reconnaissais pas. Tout le corps hors de la portière, je cherchais, regardant la Seine, l'alignement des maisons grises en face, et une sueur de peur m'inondait. Brusquement, au tournant d'un pont, je reconnus le Palais de Justice, le quai des Orfèvres, et le mauvais rêve s'est dissipé. »

Une sueur de peur l'inonde encore. Il a souvent des crises de dépersonnalisation.

« Tout fuit... La nuit m'enveloppe... Adieu, femmes, enfants, les miens, choses de mon cœur... Adieu, moi, cher moi, si voilé, si trouble... »

Un ami leur a retenu un appartement au Grand Hôtel. Le gondolier les y conduit.

« Dans ma pauvre carcasse creusée, vidée par l'anémie, la douleur retentit comme la voix dans un logis sans meubles, ni tentures. Des jours, de longs jours, où il n'y a plus rien en moi que le souffrir. »

Le gondolier salue gaiement des camarades. Venezia la bella !

« O ma douleur, sois tout pour moi. Les pays dont tu me prives, que mes yeux les trouvent dans toi. Sois ma philosophie, sois ma science. »

Julia lui prend tendrement la main. Elle a toujours rêvé de visiter cette ville. Mais pour lui, cette eau noire tout autour d'eux est un mauvais présage. Il n'aurait pas dû venir. Il essaie de parler à sa femme, de lui dire son amour, sa tendresse, sa gratitude. Mais, c'est plus fort que lui, il ramène tout à la littérature.

« Le grand Flaubert, comme il peinait à la quête des mots ! N'est-ce pas l'énorme quantité de bromure qu'il absorbait qui lui faisait le dictionnaire si rebelle ? »

Enfin, ils arrivent. Voici le Grand Hôtel. C'est le comte Primoli qui leur a fait réserver ce gîte à Venise. Joseph Primoli, l'ami de Maupassant, qui l'appelait « Gégé ». Maupassant, il ne faut plus penser à sa fin atroce dans la maison de santé du docteur Blanche à Passy.

« Jules de Goncourt et Baudelaire. Maladie des gens de lettres. L'aphasie. Henri Heine me préoccupe beaucoup. Maladie que je sens semblable à la mienne. »

Le lendemain matin, les cris des bateliers, les appels, les bruits de la vie, le soleil rouge sur Venise n'arrivent pas à le rassurer. Il devait visiter Florence, Rome, puis rentrer en France par Gênes et la Riviera. Comme Musset, son dieu, il tombe malade à Venise. Un médecin appelé en hâte ne parvient pas à le rétablir.

« Effet de morphine. Réveils dans la nuit, avec le seul sentiment d'être. Mais l'endroit, l'homme, l'identité d'un moi quelconque absolument perdus. »

Un mieux sensible. Julia décide d'interrompre le voyage et de rentrer directement à Paris.

A peine est-il de retour qu'une dépêche lui annonce la mort de Timoléon Ambroy. Le vieux Tim, Fontvieille, le moulin, les pins, la cabane. Est-ce possible ?

« Qu'il faille donc mourir tant de fois avant de mourir... »

Timoléon personnifie sa jeunesse. C'est Fontvieille, c'est Tim qui lui ont donné un si grand amour de la Provence. Interrompant *Soutien de famille*, un roman qu'il a commencé, il se transporte en Camargue dans les marais, par des jours de chaleur torride, et raconte une étrange histoire d'amour, *Le Trésor d'Arlatan*, qu'il dédie ainsi : *A la chère mémoire de Timoléon Ambroy.*

Au mois de juin, il emporte à Champrosay ce travail qu'il a commencé. Champrosay est maintenant le pays où il écrit ses livres, « tantôt sur un banc moussu au fond du parc, troublé par des bonds de lapins, des glissements de couleuvres dans les bruyères, tantôt sur un joli coin de Seine, une Seine de province, champêtre et neuve, envahie de roseaux, d'iris, de nénuphars, charriant de ces paquets d'herbages, de racines où les bergeronnettes fatiguées s'abandonnent au fil de l'eau » ou encore, « dans la chambre où Julia lui joue du Chopin qu'il ne peut plus entendre sans se figurer l'égouttement de la pluie sur les houles vertes des charmilles, les cris rauques des paons, les clameurs de la faisanderie, parmi les odeurs de fleurs, d'arbres et de bois mouillé ».

Nadar, son voisin, toujours vêtu de sa fameuse vareuse rouge, vient lui raconter avec enthousiasme qu'en décembre, dans le sous-sol du *Grand Café*, boulevard des Capucines, il a assisté à la première séance publique de cinématographe de Louis Lumière. Dix petits films au programme dont *La sortie des usines Lumière* et *L'Arroseur arrosé.*

— Il y avait seulement trente-cinq spectateurs. Et l'on a fait trente-trois francs de recette !

Edmond de Goncourt a décidé de passer quelques jours chez eux au moment des fêtes du Quatorze Juillet. Julia va le chercher en landau à la gare de Ris-Orangis. En le voyant, elle ne peut s'empêcher de sourire. Même en voyage, il est toujours coiffé d'un chapeau haut-de-forme, comme au temps de Louis-Philippe. La campagne est pour lui un décor de théâtre. Il n'aime la nature qu'interprétée par un peintre ou vue à travers l'œuvre d'un écrivain. Un ciel légèrement nuageux lui fait penser à Ruysdaël, un champ de coquelicots à Claude Monet.

— Comment va Alphonse ? demande-t-il.

— En ce moment, il souffre beaucoup. Pourtant Venise l'a captivé. Nous y avions loué une gondole et pendant des heures, parcouru les canaux. « La gondole tient du bateau, de l'oiseau et de la contrebasse », me disait-il.

— Moi, j'ai passé l'hiver entre des crises de foie et des bronchites. Privilège de l'âge ! Je suis très préoccupé aussi par les menaces de procès que vient de m'attirer le dernier volume de mon *Journal.* Quelle joie de vous retrouver, vous, « ma vraie famille » !

Pendant tout le dîner, il parle de la future académie de dix membres qu'il a instituée par testament.

— Cette fondation a été tout le temps de notre vie d'hommes de lettres la pensée de mon frère Jules et la mienne.

Rendre service aux jeunes écrivains est son grand souci. Le Prix Goncourt leur mettra le pied à l'étrier. Alphonse Daudet sera l'exécuteur testamentaire.

Julia s'étonne de voir leur ami prendre un verre de fine champagne.

— Je croyais que votre foie vous faisait souffrir.

— Tant pis ! Ces médecins sont des farceurs. Dès que vous êtes malade, ils vous demandent en confidence ce que vous aimez le mieux et tout de suite, vous le suppriment lâchement.

Mais, le lendemain, il a perdu son bel enthousiasme. Une violente crise l'a terrassé pendant la nuit. Il a les traits tirés, le tour des yeux jaune. Très inquiète, Julia va en landau jusqu'à Corbeil avec sa fille chercher de l'eau de Vichy. Goncourt passe au lit le jour du Quatorze Juillet.

Le lendemain il est au plus mal. On fait venir en hâte son médecin de Paris, qui ne laisse aucun espoir.

— C'est une congestion pulmonaire, cas très grave à son âge.

Alphonse et Julia demeurent à son chevet. Edmond de Goncourt est en train de mourir. Ses cheveux blancs sont épars sur l'oreiller. Il tend vers ses amis ses mains longues et blanches.

« Il y avait en Edmond de Goncourt un admirable et délicat artiste, d'un goût infaillible, passionné par les estampes rares, les fines silhouettes, la manière abrégée et incisive en tout. Il était jusqu'au bout de ses doigts nerveux, jusqu'à la pointe de sa moustache blanche, jusqu'au feu noir et mouvant de son regard, un aristo », dira Léon Daudet.

VIII

Après son divorce, Léon est revenu vivre chez ses parents où il a repris son ancienne chambre d'étudiant. Ce qu'il aime dans la vie ? « Les belles lettres, les belles femmes, les bonnes blagues, le bon vin, le commerce des gens gais et libres. »

Entre son père et lui, ce sont de merveilleux dialogues. Alphonse parle toujours de cette jeunesse qu'il regrette. Il se souvient des dimanches de la rue Murillo chez Flaubert quand il débutait et où Goncourt était toujours présent.

— Pour ces journées-là, nous gardions le meilleur de nous-mêmes. On songeait : je leur conterai cela, ou bien : je leur lirai cette page et prendrai leur avis. Aucune bassesse, aucune servilité, ni élèves, ni maîtres... des camarades respectueux de leurs anciens, se chauffant au reflet de leurs gloires et prouvant par leur choix qu'il y a dans notre métier autre chose que l'argent ou la vente.

A son fils Lucien, il confie aussi :

— Quelle merveilleuse machine à sentir j'ai été, surtout dans mon enfance ! A tant d'années de distance, certaines rues de Nîmes, noires, fraîches, étroites, sentant les épices, la droguerie, me reviennent dans une lointaine concordance d'heure, de couleurs, de ciel, de sons de cloche...

Des impressions, des sensations à remplir des tas de livres, et toutes d'une intensité de rêve.

Ce jeudi-là, il semble ressuscité. Il porte un élégant veston de velours noir. Ses deux fils sont auprès de lui et le regardent affectueusement. Avec une extrême pudeur, il cache sa souffrance.

La table est parée de fleurs et de cristaux. Barrès, Robert de Montesquiou, Mallarmé, Sully Prudhomme, Massenet, Emma Calvé sont là. Dès le potage, Alphonse Daudet a mis tout le monde à l'aise, enchanté ses hôtes par un récit brillant, une de ses improvisations dont il est coutumier. Comme autrefois il lance la causerie, la dirige, la ranime.

Julia le trouve encore très beau ce soir. Il la rassure d'un sourire. Ses traits sont à peine crispés. Elle seule peut deviner. Elle écoute sa voix chaude et prenante. Quand ses douleurs lui laissent un répit, il donne l'illusion d'être en parfaite santé. Mallarmé parle avec émotion de son ami Verlaine qui vient de mourir dans une affreuse misère.

— Paul Verlaine, son génie enfui au temps futur, reste héros, dit-il.

Après le dîner, Massenet va jouer au piano des extraits de *Sapho* qu'il a mis en musique et qui va être créé à l'Opéra-Comique par Emma Calvé.

Léon Daudet remarque qu'en écoutant l'ouverture poignante du dernier acte, son père ne peut retenir ses larmes et il s'interroge :

« Qu'imagine-t-il, qu'entrevoit-il à travers ces angoisses sonores ? »

On déménage encore. On quitte la rue de Bellechasse pour la rue de l'Université. Deux étages au numéro 41 dans l'hôtel Clermont-Tonnerre. Alphonse a l'impression de revivre.

— Comme c'est beau chez moi, dit-il soudain rajeuni.

Pourtant, trop souvent hanté par l'idée de la mort, il ne s'installe jamais dans un nouvel appartement sans y chercher la place qu'occuperait son cercueil...

Au mois de mai, comme tout le monde à Paris, il est terrifié par l'incendie du *Bazar de la Charité.* Dans cette institution philanthropique créée en 1855, des femmes du monde organisent des ventes au profit d'œuvres de bienfaisance. Le *Bazar* est établi rue Jean Goujon dans des constructions en planches et le 4 mai 1897, au cours d'une représentation cinématographique, un incendie se déclare. Cent dix-sept personnes y périssent parmi lesquelles la duchesse d'Alençon. Les journaux commentent ce drame pendant des semaines.

Comme on ergote devant lui sur des questions d'assurance, il s'indigne :

— Le peuple vaut mieux que ses représentants. Ceux qui ont eu pitié et courage, dans l'horreur des cris et des flammes, furent à la fois des humbles et des braves.

Il reçoit de moins en moins. Il voit quand même Willy qui retire son fameux gibus à bords plats, s'incline et lui présente sa jeune femme, Colette Willy, qui n'a encore rien écrit. Alphonse la trouve très belle mais quelle drôle de façon de rouler les r ! Comment pourrait-il deviner qu'un jour cette chère Colette tomberait amoureuse de Missy, la fille cadette du duc de Morny ! La boucle est vraiment bouclée.

En décembre, il assiste à un dîner littéraire, « le dîner Balzac », au restaurant avec son fils Léon. Zola, Paul Bourget, Anatole France, Barrès sont là.

Ce soir-là, il dit en souriant à Zola :

— Je m'accuse d'avoir cinquante-sept ans et pas encore de conviction politique.

On dîne joyeusement. On boit sec. On évoque des souvenirs dans les délices de cette Belle Epoque qui approche à grands pas. Zola ne peut s'empêcher de parler en confidence de Jeanne Roserot, cette jeune femme dont il est de plus en plus amoureux.

— Un vrai petit Greuze, dit-il à son ami.

« Nous avions eu l'idée de reprendre la tradition, explique Zola, de nous refaire un petit coin d'amicale et libre intelligence. Jamais Alphonse ne s'est montré plus jeune, plus charmant, d'une force d'âme et d'une clarté d'esprit victorieuses de la souffrance. Nous étions ravis comme si tout le passé refleurissait. A minuit, au moment où il montait en voiture, je lui serrai la main en lui promettant d'aller le voir prochainement. »

Dans la voiture qui les ramène, heureux et ému, Alphonse dit à son fils :

— Ces agapes sont indispensables. Elles fouettent l'esprit, elles l'embellissent.

16 décembre. C'est un jeudi. Un jeudi où l'on ne reçoit personne. Dans le boudoir, il regarde Julia. Julia, son grand amour. Il pense brusquement à l'époque où il l'a connue, quand il attendait impatiemment l'heure de la retrouver, traversant un Paris glacial et neigeux pour lui apporter quelques pauvres fleurs à moitié gelées. Dans un coin du salon de la rue de Rivoli, pendant que la grand-mère de Julia, l'adorable vieille dame en dentelles, somnolait sur une « patience », ils parlaient tous deux très tard à mi-voix...

Il contemple encore le visage toujours aussi charmant de sa femme, ce sourire un peu rêveur, un peu boudeur qu'a si bien peint Renoir. Ce tableau ne l'a jamais quitté.

— Yaya, ma Juliette ! lui dit-il avec la tendresse des jours anciens.

Puis il retourne travailler.

— L'exercice de l'observation littéraire est une joie dont on ne se lasse point, dit-il à sa femme qui est obligée de l'appeler deux fois pour le prier de passer à table.

Toute sa famille est autour de lui : ses deux fils, sa petite Edmée, Léonide Allard. Il dit ses projets, les romans qu'il a commencés et dont les études emplissent ses petits cahiers. Bientôt, il livrera le manuscrit de l'adaptation scénique de *La Petite Paroisse*, bientôt *Soutien de Famille*, son dernier livre, paraîtra en librairie, bientôt...

Julia parle de *Cyrano de Bergerac* dont la répétition générale aura lieu le lendemain au Théâtre de la Porte Saint-Martin.

— Je voudrais aller voir cette pièce, dit-il. J'ai une vive sympathie pour Edmond Rostand et une grande admiration pour Coquelin qui jouera Cyrano.

Ce sont ses derniers mots. Il s'effondre. Sa tête se renverse. Sa bouche entrouverte exhale encore un soupir. Celui qui, pendant tant d'années, a placé au-dessus de tout l'amour des Lettres se passionne encore avant de mourir pour cette œuvre d'un auteur de vingt-neuf ans.

« Il est mort avec la simplicité d'un arbre », dira son ami Jules Renard.

Mistral écrira à Julia éplorée :

« ... Il fut le premier génie, le premier écrivain de race provençale qui ait vraiment apporté à la langue française le brio et le charme et le naturel exquis de la nation dont il sortait. »

Elle survivra près d'un demi-siècle à son mari, connaîtra encore deux guerres, s'occupera du Prix Fémina, écrira des souvenirs, suivra avec intérêt les brillants débuts de Jean Cocteau. La frêle Julia vivra presque centenaire, témoin de quatre générations, ayant pris le thé avec Lamartine avant 1870 et le prenant en 1938 avec Henri Troyat. Un jour à Biarritz, elle rencontrera l'impératrice Eugénie, miracle de longévité elle aussi, toujours belle sous ses cheveux blancs et qui lui dira :

— Jadis, à Saint-Cloud, j'ai récité des vers d'un jeune poète qui s'appelait Alphonse Daudet.

— Je sais, répondra-t-elle les yeux mouillés de larmes. C'était avant que je ne le rencontre.

Les souvenirs l'assailleront. Une valse d'Offenbach. Un soir au Théâtre-Français. Une pièce d'Edmond de Goncourt qu'on sifflait. Alphonse et son invraisemblable veston de velours gris. Leur beau roman qui commençait et qui pour elle ne s'achèverait jamais.

BIBLIOGRAPHIE

ALBALAT Antoine : *Souvenirs de la vie littéraire*, Crès, 1924.

ALLEM Maurice : *la Vie quotidienne en France sous le Second Empire*, Hachette, 1948.

AURIANT : *le Double Visage d'Alphonse Daudet*, A l'écart, 1947.

BEAUME Georges : *les Lettres de mon moulin d'Alphonse Daudet*, Malfère, 1929.

BENOIT-GUYOT Georges : *Alphonse Daudet*, Tallandier, 1947.

BONNET Batisto : *Un paysan du Midi : Alphonse Daudet*, Flammarion, 1912.

BORNECQUE Jacques-Henry : *les Années d'apprentissage d'Alphonse Daudet*, Nizet, 1951.

Daudet Mistral. Histoire d'une amitié, Julliard, 1979.

BRUYÈRE Marcel : *la Jeunesse d'Alphonse Daudet*, Nouvelles éditions latines, 1955.

BURNAND Robert : *la Vie quotidienne en France de 1870 à 1900*, Hachette, 1947.

CEARD Henry : *Alphonse Daudet — essai de biographie littéraire*, Houssiaux, 1899.

CLOGENSON Y.E. : *Alphonse Daudet, peintre de la vie de son temps*, Janin, 1946.

Collectif : *Hommage à Alphonse Daudet*, Librairie de France, 1930.

DAUDET Alphonse : *Souvenirs d'un homme de lettres*, Morpon et Flammarion, 1888.

Trente ans de Paris, Morpon et Flammarion, 1888.

DAUDET Mme Alphonse : *Souvenirs autour d'un groupe littéraire*, 1909.

DAUDET Ernest : *Mon frère et moi*, Plon, 1882.

DAUDET Léon : *Alphonse Daudet*, Charpentier, 1898.

Fantômes et Vivants, Grasset, 1931.

Quand vivait mon père, Grasset, 1940.

Souvenirs littéraires, Grasset, 1968.

DAUDET Lucien : *Vie d'Alphonse Daudet*, Gallimard, 1941.

Lettres familiales d'Alphonse Daudet, Plon, 1944.

DECAUX Alain : *Offenbach, roi du Second Empire*, Pierre Amiot, 1958.

DEFFOUX Léon et ZAVIE Emile : *le Groupe de Médan*, Crès.

DU CAMP Maxime : *Souvenirs d'un demi-siècle*, Hachette, 1949.

DUFRESNE Claude : *Morny*, Perrin, 1983.

FRICKER Elsa : *Alphonse Daudet et la société du Second Empire*, Ed. de Boccard, 1937.

GONCOURT Edmond et Jules de : *Journal*, Flammarion-Fasquelle, 1959.

LANOUX Armand : *Bonjour Monsieur Zola*, Hachette, 1962.

LEMAITRE Jules : *les Contemporains*, Librairie Lecène.

MANTOUX Charles : *Alphonse Daudet et la souffrance humaine*, La Pensée Universelle, 1971.

MARQUE Jean-Noël : *Léon Daudet*, Fayard, 1971.

MAUPASSANT Guy de : *Lettres de Flaubert à George Sand* (Préface), Charpentier, 1884.

RENARD Jules : *Journal*, Gallimard, 1935.

ROURÉ Jacques : *Alphonse Daudet*, Julliard, 1982.

FIN

TABLE

Numéro d'éditeur : 5021
Numéro d'impression : 2934
Dépôt légal : janvier 1985

ACHEVÉ D'IMPRIMER
SUR LES PRESSES
DE L'IMPRIMERIE S.E.G.
33, RUE BÉRANGER
CHATILLON-SOUS-BAGNEUX